Né à Paris, Jean Boisselier est docteur ès lettres et ès études indiennes, et docteur *honoris causa* de l'université Silpakorn de Bangkok. Ancien membre de l'Ecole française d'Extrême-Orient, conservateur du musée de Pnom-Penh entre 1950 et 1955, il a été aussi responsable des travaux scientifiques de la conservation d'Angkor de 1953 à 1955. Spécialiste de l'art, de l'archéologie et des études bouddhiques de l'Inde, du Sri Lanka et de l'Asie du Sud-Est, auteur de nombreux ouvrages, il a accompli de fréquentes missions archéologiques (Cambodge, Viêt-Nam, Sri-Lanka et surtout Thaïlande).

*1ᵉʳ dépôt légal: décembre 1993
Dépôt légal: février 1997
Numéro d'édition: 81184
ISBN: 2-07-0532262-3
Imprimé en Italie par
Editoriale Libraria*

LA SAGESSE DU BOUDDHA

Jean Boisselier

DÉCOUVERTES GALLIMARD
RELIGIONS

Les VIe et Ve siècles avant J.-C., durant lesquels apparaissent le Bouddha et sa religion, sont une période d'intense activité spirituelle pour l'ensemble des contrées qui s'étendent de la Grèce à la Chine. En Inde, cette effervescence a commencé bien plus tôt : dès le début du IIe millénaire, les spéculations sur l'ordre cosmique, la connaissance de soi-même et le devenir des êtres priment toute autre considération.

CHAPITRE PREMIER
L'INDE AU TEMPS DU BOUDDHA

Situé dans l'Himalaya, le lac mythique Anavatapta est considéré comme l'origine des quatre fleuves arrosant des contrées peuplées respectivement de lions, de taureaux, de chevaux et d'éléphants. Il sera le dernier à disparaître pour reparaître le premier, lorsque le monde, une fois détruit, renaîtra. Le fleuve coulant vers le sud est le Gange, qui arrose le subcontinent indien.

Image classique (à droite) du mythe vishnuite de la création de l'Univers. Durant la nuit séparant deux créations, Vishnu repose sur le serpent à mille têtes flottant sur les eaux cosmiques. Conservateur du cosmos, au cours de sa méditation sur le monde, est émis de son nombril un lotus d'or, d'où surgit Brahmâ qui crée le nouvel univers.

Il est impossible de concevoir un
mouvement spirituel isolé dans le
temps et dans l'espace. Aussi bien
ne peut-on parler du Bouddha et du
bouddhisme primitif sans faire le
point sur l'Inde, sociale et religieuse,
de cette époque.

L'Inde avant le VIᵉ siècle av. J.-C.

En dépit de l'ancienneté et de
l'importance de ses cultures pré- et
protohistoriques, la pensée et la
société du subcontinent indien ont été
essentiellement façonnées, à partir
du milieu du IIᵉ millénaire av. J.-C.,
par les apports des conquérants Ârya.
Progressant d'ouest en est, ces
populations, sans doute originaires
des confins du Caucase et de la
Méditerranée orientale, se sont

L a civilisation de l'Indus, la plus ancienne du subcontinent indien, caractérise le Pakistan, mais aussi l'Afghanistan méridional et les provinces indiennes du Punjab, du Rajasthan et du Gujarat. Elle comporte trois phases : pré-indusienne (du IVe millénaire à

environ 2300 av. J.-C.), indusienne (2300 à 1750 av. J.-C.) et post-indusienne (1750 à 1000 av. J.-C.). On ne sait toujours pas si l'on doit attribuer sa brutale disparition à un déclin naturel ou aux effets de la poussée âryenne. En relation certaine avec la Mésopotamie, elle est essentiellement connue pour ses aménagements urbains, défensifs, commerciaux (bassins portuaires, docks), et sa voirie. Aucun édifice religieux n'est avéré, et la céramique, abondante et originale, les figures modelées ou, plus rarement, sculptées ne livrent aucun indice en ce domaine en dépit de leur intérêt. Les sceaux aux inscriptions énigmatiques et ornés de figures animales ne renseignent pas davantage.

d'abord installées dans le bassin de l'Indus, refoulant, asservissant ou assimilant les aborigènes. Elles atteignent le bassin du Gange vers le début du Ier millénaire av. J.-C. et y fondent divers royaumes dont les luttes ont alimenté l'ancienne littérature épique de l'Inde.

La culture des Ârya est basée sur les *Veda* – le Savoir –, ensemble de textes sacrés considérés comme révélés, complétés de commentaires sur la tradition. La société est répartie en quatre castes, système spécifiquement indien, hiérarchisé, qui sera conservé jusqu'en 1949. Les trois premières de ces castes, proprement Ârya, seraient d'origine indo-iranienne et correspondent à une conception corporatiste de la société : ce sont les prêtres ou brâhmanes, les nobles

guerriers ou *kshatriya*, les gens du commun ou *vaiçya*, agriculteurs ou éleveurs. La dernière, celle des serviteurs ou *çûdra*, est constituée des autochtones et de membres déchus des trois premières castes.

Croyances védiques : le brahman et l'âtman

La religion est l'affaire des brâhmanes; ritualiste, elle est fondée sur le sacrifice et comporte des prières et des offrandes, le feu sacré assurant le contact entre l'officiant et la divinité. Comme dans la Grèce antique, les dieux du védisme interviennent dans les affaires humaines. Au nombre de trente-trois, ayant pour chef Indra, dieu guerrier, ce sont des divinités astrales, atmosphériques, terrestres et les fondements du sacrifice (le feu et la liqueur des oblations).

Parmi les futurs grands dieux de l'hindouisme, seule s'affirme déjà l'importance de Brahmâ (ou plutôt Brahman). Impersonnel, il représente l'Univers, le Verbe auquel l'âme individuelle, l'*âtman*, s'efforce de s'identifier. Les rapports avec les dieux se restreignent à la supplication, sans jamais d'actions de grâce; ils s'établissent par la prière et, surtout, par le sacrifice qui assure la liaison entre le profane et le sacré, le prêtre agissant à la fois comme représentant des divinités concernées et comme mandataire du sacrifiant.

Agni, divinité védique du feu, à deux têtes, est représenté à gauche en compagnie de sa monture, le bélier. A droite, Indra, dieu prééminent du védisme, guerrier, «maître de l'énergie» dont l'arme est le foudre, pratique la magie; il est aussi réputé pour sa lasciveté et sa tendance à s'enivrer. Souvent doté d'un œil frontal, il en montre parfois, comme ici, un millier. Dans le bouddhisme, il sera un dévot serviteur du Bouddha. Ci-dessous, un brâhmane se dispose à accomplir la *pûjâ*, c'est-à-dire un acte d'adoration de la divinité, correspondant au sacrifice védique, avec aspersion de l'idole, offrandes et hommages appropriés.

L'émergence du brâhmanisme

Lorsque les Ârya atteignent le bassin du Gange, et
peut-être en raison de leurs contacts avec les cultures
locales, les spéculations védiques évoluent vers
le brâhmanisme,
«ensemble de conceptions
religieuses et sociales
définies et dirigées par les
brâhmanes constitués
en corps sacerdotal»
(E. Lamotte). La
société et les
institutions sont
régies par
des règles
fournies

par les *Veda*, leur ensemble constituant le *dharma*, l'ordre, la loi qui détermine toutes choses.

Les brâhmanes, tout en maintenant le rituel et les sacrifices védiques, précisent les croyances religieuses et intègrent au panthéon védique, conservé pour l'essentiel mais modifié dans sa hiérarchie, des dieux parfois objets de cultes locaux. Au premier rang figurent désormais Vishnu et ses multiples «descentes» (les *avatâra*), Çiva sous ses aspects divers et Brahmâ, souvent placé sur le même plan. Mais apparaissent aussi des dieux du sol, des génies et des démons serviteurs ou ennemis des dieux, des êtres fabuleux tels que les Nâga, mi-hommes mi-serpents et gardiens des richesses, les Gandharva, musiciens célestes à buste humain et corps de cheval ou d'oiseau, les Yaksha, assistants du dieu des richesses Kubera, les Rakshasa, leurs homologues au service des Asura, ennemis des dieux, êtres inquiétants, spectres ou larves.

Les non-conformistes du VIᵉ siècle av. J.-C.

Plus ou moins en marge de ces orientations, nombre de sages, brâhmanes ou non, recherchent la voie qui leur permettrait de résoudre le

Emprunté à l'art bouddhique du IIᵉ siècle av. J.-C., le personnage ailé ci-contre, chargé d'offrandes et figuré en attitude de vol, représente sans doute un génie des airs ou quelque «porteur de science» favorable aux humains.

Le Nâga (page de gauche, en haut), être mi-homme, mi-serpent, habite généralement les eaux; il garde les trésors et les richesses. L'art khmer lui a accordé un rôle important et a tiré de son aspect animal un parti très décoratif.

Brahmâ (page de gauche) est, dans les temples khmers de la première moitié du Xᵉ siècle, bien davantage celui qui a énoncé les quatre *Veda* que le dieu créateur. Selon la conception çivaïte de la Trinité Brahmâ-Çiva-Vishnu, dont Çiva, suprême, occupe le centre, il était considéré comme issu de la partie droite du corps de ce dernier, tandis que Vishnu l'était de sa partie gauche. On peut voir également ce dernier ci-contre, couché sur le serpent Ananta.

problème de l'existence.
Abandonnant le monde,
ce sont des «renonçants»,
souvent solitaires, des
moines errants et
mendiants. Ne recherchant
que leur propre progrès
psychique et la maîtrise de
soi, beaucoup pratiquent
l'ascétisme. Cette
discipline très ancienne,
déjà signalée par certains
textes védiques, peut-être
autochtone, tend à assurer
le contrôle des fonctions et

des exigences vitales dans le but d'acquérir, dans
les cadres de la vie brâhmanique, des forces
surnaturelles, l'échauffement interne (le *tapas*) et
l'extase. D'autres, tels les deux maîtres choisis
par le futur Bouddha, pratiquent le yoga, qui conduit,
lui aussi, à la maîtrise spirituelle et à l'élimination
des obstacles extérieurs à partir d'exercices assurant
la maîtrise du corps et de méditations sans
orientation religieuse particulière. Certains sages
enfin vont jusqu'à nier toute vérité morale ou
développer des thèses matérialistes.

Autre doctrine en marge
de la religion, le Sâmkhya
(«dénombrement») est un exposé
analytique des vingt-cinq réalités
constitutives de toutes choses, la
première étant la Nature (*prakriti*),
et la dernière l'Homme, entité
spirituelle (*purusha*). Mais, outre
que le caractère courant de la
plupart de ces données dans la
pensée indienne explique que
l'on en retrouve quelques échos
dans le bouddhisme, il convient
d'observer que le Sâmkhya s'est
surtout développé à l'époque
classique, bien après les
débuts de l'ère chrétienne.

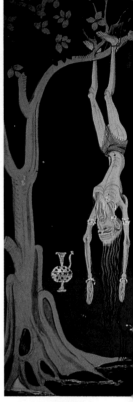

A la différence des
moines bouddhistes,
au vêtement de couleur
ocre ou jaune et à la
tête entièrement rasée,
les «renonçants»,
quatrième stade de la
vie érémitique, gardent
leur chevelure coiffée
en chignon et la barbe
(haut de page). L'art de
Mahâbalipuram, près
de Madras, au VIIᵉ siècle
(à gauche), se distingue
par une grande douceur
qui accuse l'ascendant
moral de l'ascète.

La destinée des êtres

Née sans doute de la rencontre des conceptions animistes et de la constatation de l'évolution cyclique des faits naturels et des rythmes saisonniers, l'idée d'une mort des êtres suivie de leur renaissance est apparue, dès le védisme, inéluctable. Elle se résume dans la doctrine du *samsâra*, migration circulaire sans fin. La renaissance s'opère dans une condition sociale, voire animale, en rapport avec les actes passés. D'où l'idée d'une rétribution des mérites et des fautes. Le corps disparaissant à la mort, c'est le *karman*, considéré comme l'acte moral (dans sa conception et ses résultats), qui est cause des naissances nouvelles

En marge des doctrines religieuses, le yogin développe ses pouvoirs spirituels en recourant à tout un ensemble de techniques dont les plus célèbres relèvent du Hathayoga, «yoga d'effort», où gestes et postures mettent en jeu la volonté et des efforts musculaires très divers, en partant de théories relatives aux relations du corps, microcosme, avec l'Etre suprême et l'Univers.

Dans l'Himalaya, selon la cosmologie bouddhique, le lac Anavatapta est entouré de cinq chaînes de montagnes mythiques, parmi lesquelles le Gandhamâdana, «Parfum enivrant», une région paradisiaque où vivent toutes sortes d'êtres merveilleux. Là se rencontrent les Bouddha «éveillés pour eux seuls», ceux qui, ne pouvant communiquer la Connaissance qu'ils ont acquise, n'obtiennent qu'un *nirvâna* provisoire. Ce *nirvâna* ne deviendra définitif que lors de l'apparition d'un Bouddha «parfaitement et complètement Eveillé». Alors, dans l'attente de sa venue, ils séjournent tous en ce lieu où ils disposent de trois cavernes. Pour les cérémonies de purification, accomplies lors de chacune des phases de la Lune, ils se rassemblent sur une aire qui leur est réservée, au pied d'un arbre célèbre pour son exceptionnelle fragrance. A proximité, le hall de réunion symbolise «les sièges toujours prêts à les recevoir» dont parlent les textes. Dans cet éden où tous les êtres ne manifestent que des sentiments amicaux, règne l'entente la plus parfaite. Chevaux et éléphants s'y distinguent par des couleurs, souvent inattendues, et qui révèlent leurs qualités propres.

dans une condition bonne ou mauvaise selon la valeur des actes accomplis et accumulés antérieurement.

A ce cycle fatal de morts et de renaissances, une seule échappatoire : l'intégration définitive de l'âme individuelle au monde de Brahman. Mais cette délivrance ne pouvant survenir que chez des êtres d'exception, une théorie s'est fait jour, prônant l'acquisition de la Connaissance, l'étude et la pratique de l'ascétisme, sans lesquelles toute mort sera suivie de renaissance. Par son enseignement, sans s'opposer à la pensée et à la société de ses contemporains, le Bouddha va apporter la réponse attendue de génération en génération sur la question du devenir des êtres, en révélant la voie d'une délivrance accessible à tous.

Le monde et l'univers

L'organisation spatiale du monde védique préfigure la cosmogonie brâhmanique comme celle du bouddhisme. Dans cette dernière, dieux et génies seront souvent présents parmi les humains. Le Meru, montagne mythique, demeurera l'axe du monde, entouré de sept chaînes de montagnes annulaires de hauteur décroissante, ceintes d'océans. A chacun des points cardinaux correspond un continent, celui du sud, le Jambudvîpa, englobant l'Inde. Au sommet du Meru résident les Trente-trois dieux, ayant Indra pour chef, comme dans le védisme. Les dieux du brâhmanisme n'y seront, par

contre, qu'à peine mentionnés et Maheçvara, c'est-à-dire Çiva, ne sera que le premier des «dieux de la terre des hommes».

Préoccupé d'abord de valeurs morales et de disciplines conduisant à la libération de la pensée, le bouddhisme proposera une organisation des mondes selon un étagement en trois domaines témoignant des progrès successifs dans la voie de cette libération. Le «domaine où on agit dans le désir» sera celui des animaux, des hommes, de divers dieux; il s'agit du monde terrestre, avec les enfers en dessous et, au-dessus, un «monde des dieux» dont les six niveaux révèlent un détachement progressif des désirs matériels. Dans les domaines au-dessus ne se trouvent plus que des êtres nés dans le monde des «dieux Brahmâ»; affranchis des désirs, ils ne conservent que les notions d'apparence et se répartissent sur quatre étages dont les dix-sept niveaux correspondent au degré de libération que l'esprit a atteint. Au-delà, le «domaine de l'absence d'apparence», immatériel, réunit des dispositions psychiques concernées par quatre infinitudes distinctes. Le *nirvâna*, cessation qui ne signifie pas l'anéantissement mais une absence de tout ce qui est, matériellement ou spirituellement, n'a pas de localisation.

Mahâkâla, le «Grand Temps», à l'origine assistant de Çiva, est devenu, depuis le Xᵉ siècle dans le bouddhisme tantrique, un dieu tutélaire et en même temps l'un des huit «Gardiens de la Loi» (bouddhique), d'où son aspect terrible et dissuasif (ci-dessus).

Sur cette représentation de l'Univers selon la cosmologie bouddhique (à gauche), on peut voir, de part et d'autre d'un plan figurant les quatre continents, les mondes souterrains et les enfers vers le bas, le monde du Désir et les divers étages du monde des apparences vers le haut.

La vie du Bouddha historique est indissociable de la légende. Le merveilleux et l'avéré s'y mêlent constamment, aussi bien que le sacré et le profane, les géographies céleste et terrestre. Avant d'atteindre le «parfait et complet Eveil», le Bouddha fut un Bodhisattva, un «être promis à l'Eveil».

CHAPITRE II

LE BODHISATTVA

Peinte à Ajantâ au VIᵉ siècle, la figure de gauche ne prétend pas représenter le futur Bouddha mais l'un des principaux Bodhisattva du Mahâyâna. Si son identité exacte demeure incertaine, il n'en constitue pas moins l'une des plus remarquables évocations de l'idéal de grandeur et de sereine bienveillance qui caractérise ces sauveurs par vocation. Au cours de quatre sorties, le Bodhisattva découvre les réalités qu'on avait voulu lui cacher. Elles détermineront sa vocation.

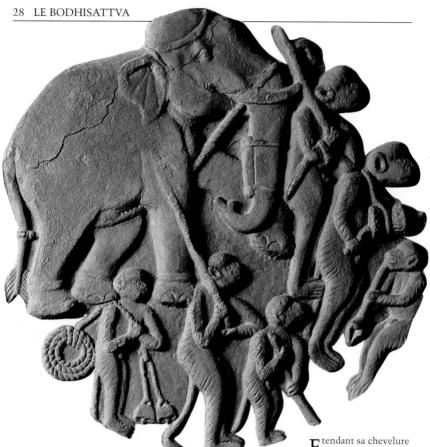

Les circonstances lointaines

Pour les bouddhistes et pour nombre de ceux qui, convaincus de la potentialité bonne ou mauvaise des actes, croient en la transmigration des êtres, la vie de Gautama, le Bouddha historique, ne peut être que l'achèvement de la longue, très longue progression morale d'un Bodhisattva, «être à Eveil», aboutissant à l'état, exceptionnel en tout point, de Bouddha «parfaitement et complètement Eveillé».

La carrière édifiante du Bodhisattva nous est révélée par deux ensembles de textes du canon pâli :

E tendant sa chevelure sous les pieds du Bouddha Dîpankara pour lui éviter de se souiller dans sa marche (page de droite), le brâhmane Sumedha s'engage, par son humilité et sa foi, à devenir le Bouddha des temps historiques : Gautama. Dans l'art de Bharhut, au IIᵉ siècle av. J.-C., les *Jâtaka* mettent souvent en scène des animaux. Ci-dessus, un éléphant est conduit par des singes.

la Lignée des Bouddha (*Buddhavamsa*) et les
Naissances (*Jâtaka*). De rédaction relativement
tardive, ils sont considérés comme rapportant des
récits et des exposés dus au Bouddha lui-même.
Leur popularité, celle des *Jâtaka* surtout, est
partiellement attestée par les plus anciens
témoignages figurés (Bharhut, milieu du IIᵉ siècle
av. J.-C.); elle ne s'est jamais démentie depuis.

De Dîpankara à Gautama : le «Buddhavamsa»

De caractère légendaire, le *Buddhavamsa* est
censé relater l'histoire des vingt-quatre Bouddha
prédécesseurs de Gautama et annoncer le Bouddha
des temps futurs, Metteyya (en sanskrit Maitreya).
Mais le texte précise aussi le début et, en partie,
le déroulement de la carrière du Bodhisattva.

En des temps immémoriaux, alors que vivait
le Bouddha Dîpankara, le premier des vingt-quatre
prédécesseurs mentionnés, Gautama était le
brâhmane Sumedha. Menant la vie des ascètes et se
trouvant un jour en présence de Dîpankara, il
prit la résolution d'accéder, lui aussi,
à l'état de Bouddha. Et, grâce à la faculté
de connaissance qui, propre aux
Bouddha omniscients, leur permet
de répondre à toute question,
Dîpankara put lui donner
l'assurance, en présence d'une
foule d'auditeurs, qu'il
«deviendrait un Bouddha en
ce monde». Cette
prédiction devait être
confirmée par chacun des
vingt-trois Bouddha du passé,
successeurs de Dîpankara,
tandis que le futur
Gautama était tantôt
un brâhmane,
tantôt un roi,
voire un chef
Yaksha, un roi
Nâga ou même
un lion...

Pour le bouddhisme
ancien, dit Hînayâna,
Metteyya, le Bouddha
des temps futurs, est
actuellement parmi
les dieux Tusita, les
Parfaits. Mais comme
il lui arrive aussi
d'intervenir dans notre
monde, il est dans le
Mahâyâna – forme
évoluée du bouddhisme
– l'un des plus grands
Bodhisattva.

547 récits des Naissances : les «Jâtaka»

Jouissant d'une tout autre notoriété, les *Jâtaka* sont à la base même de l'éducation religieuse et il n'est pas rare qu'ils soient souvent mieux connus des fidèles que bien des faits éminents de la vie du Bouddha.

Le recueil du canon pâli réunit 547 récits, de caractère légendaire, de «naissances» antérieures

À Sukhothai, en Thaïlande, un étroit couloir obscur, ménagé dans l'épaisseur du mur d'un sanctuaire du XIVᵉ siècle, permettait d'accéder au niveau de la tête d'une colossale statue du Bouddha. Le plafond du couloir était constitué d'une centaine de dalles gravées. Les *Jâtaka* qui les ornaient guidaient les méditations des dévots gravissant ce chemin assez difficile. Ci-contre, le Bodhisattva, alors cheval du roi de Bénarès, sur le point de mourir, intercède pour le pardon des assaillants capturés.

Les détails (ci-contre et en page de droite) d'une peinture de Thaïlande du début du XIXᵉ siècle illustrent le moment le plus dramatique du *Sama Jâtaka*, l'un des dix «grands» *Jâtaka*. Le Bodhisattva Sama était le fils et l'unique soutien d'un couple d'ascètes devenus aveugles. Un jour où, pour leur apporter de l'eau, il parcourait les bois, accompagné d'un cerf apprivoisé, il fut aperçu par un roi de Bénarès, venu chasser dans la même forêt. Prenant Sama pour un être surnaturel, il lui décocha une flèche empoisonnée, et seuls les actes de foi des uns et des autres purent le ramener à la vie.

du Bodhisattva, groupés en 22 sections théoriquement constituées en fonction du nombre de stances de chacun des récits. Dans la version publiée en anglais, ils s'accompagnent d'une introduction qui précise en quelles circonstances le Bouddha aurait narré l'épisode de ses naissances antérieures. Attribuées au Bouddha, les stances (*gâthâ*) qui l'accompagnent, en nombre variable, constituent une sorte de réflexion à l'usage de son auditoire. Plus souvent, elles sont présentées comme le rappel de paroles qu'il aurait prononcées en l'occasion, alors qu'il était encore un Bodhisattva. Chacun des *Jâtaka* s'achève par un bref exposé où le Bouddha proposerait d'identifier ses contemporains, zélateurs ou opposants, aux divers acteurs de l'événement rapporté, soulignant ainsi combien le poids des dispositions morales, bonnes ou mauvaises, conditionne l'être transmigrant.

Les dix vertus sublimées

Les *Jâtaka* montrent, et c'est la cause de leur intérêt didactique autant que de leur popularité, que la progression du Bodhisattva, comme de tous les êtres au cours de leurs existences, humaines, animales ou divines, impose la pratique, portée à l'extrême perfection, de dix vertus considérées comme essentielles. Il s'agit des *pâramitâ*, dont les listes diffèrent quelque peu dans le bouddhisme «ancien» (dit Hînayâna ou Petit Véhicule) et dans le Mahâyâna (ou Grand Véhicule,

Ce n'est pas la vie quotidienne mais bien le théâtre dansé qui a inspiré le dessin des figures de cette peinture thaïlandaise. Sama, blessé (page de gauche, en bas), y porte l'ajustement traditionnel des ascètes. L'attitude et le geste du roi (ci-dessous) sont ceux imposés par les règles de la danse pour tout personnage tirant à l'arc.

bouddhisme évolué fondé sur des spéculations nouvelles, qui apparaît dès avant l'ère chrétienne), en raison même d'une conception différente des Bodhisattva et de leur carrière. Pour le bouddhisme dit «ancien» (de langue pâli), les «extrêmes» de vertus concernent le don, la pratique morale, l'abnégation et le renoncement, l'intelligence ou la sapience, l'énergie, la patience et la longanimité, la véracité, la détermination, la bienveillance, l'équanimité. En partie différentes, les listes mahâyâniques accordent au don et à la pratique morale la même importance; elles classent différemment la patience, l'énergie et la sapience et se complètent de cinq *pâramitâ* particulières : la méditation, la maîtrise des moyens, la résolution, la force morale et la connaissance, tous extrêmes de vertus choisis en fonction des orientations doctrinales du Mahâyâna. Quoi qu'il en soit, toutes les écoles reconnaissent au don une importance exceptionnelle liée à la fois à la qualité du donneur et à celle du bénéficiaire, à la valeur de l'intention et au fait que le summum du don affranchit de tout attachement.

Le don sans bornes

Depuis bien des siècles, c'est au *Mahânipata* (la «grande section», eu égard au nombre de stances) du recueil pâli que sont le plus volontiers empruntés les *Jâtaka* illustrant les dix *pâramitâ*. Chaque *Jâtaka* se présente comme une histoire légendaire destinée à

Les deux Bodhisattva les plus populaires du Mahâyâna figurent ici dans deux traditions bien distinctes : Metteyya (à gauche), aux quatre bras, est un bronze de l'art khmer des VIIIᵉ-IXᵉ siècles; assis dans l'attitude du «délassement royal», Avalokiteçvara (ci-contre) est une œuvre du royaume de Dali (sud de la Chine) aux XIᵉ-XIIᵉ siècles.

illustrer une vertu. Ainsi le sont l'abnégation, le renoncement, l'énergie, la bienveillance, la détermination, la patience, la moralité, l'équanimité, la véracité, l'intelligence et la sagesse. Le plus célèbre des *Jâtaka*, le *Vessantara Jâtaka* (n° 547), exalte le don porté à ses limites extrêmes. Le Bodhisattva est ici le prince Vessantara, ou Viçvântara en sanskrit. Illustrée dans la plupart des monastères, l'histoire de ce héros exemplaire est aussi narrée et commentée périodiquement pour l'édification de tous les fidèles. Dès l'âge de huit ans, Vessantara, fils du roi de Sivi, a fait vœu de faire de grands dons; les événements le combleront au-delà de toute attente...

Les *Jâtaka* fournissent souvent d'intéressantes précisions sur la vie quotidienne au tournant de notre ère. Ci-dessus, c'est le *Mahâjanaka Jâtaka*, longue histoire du prince du même nom, qui bien loin des péripéties dramatiques du récit, nous révèle les agréments de la vie de cour à l'époque de l'Inde Gupta, vers les Ve-VIIe siècles.

Réalisée sur tissu au début du XIXe siècle, la peinture thaï ci-contre était exposée dans un temple pour la récitation du *Vessantara Jâtaka*. Elle évoque le moment où, des brâhmanes ayant réclamé les quatre chevaux de l'attelage princier, des divinités prennent l'apparence de cervidés pour les remplacer.

Marié à seize ans à la princesse Maddî, tout aussi éprise d'actes méritoires, il en a deux enfants. Pour satisfaire la demande de huit brâhmanes, Vessantara commence par faire don de son éléphant blanc, traditionnellement considéré comme garant de la prospérité du royaume; ce don amènera son bannissement et celui de sa famille. Avant de s'éloigner, le prince distribue l'ensemble de ses biens – le don par excellence –, mais se voit encore réclamer ses quatre chevaux puis son char. Poursuivant leur chemin en portant leurs enfants, Vessantara et Maddî arrivent au lieu fixé pour leur exil. Là, deux ermitages ont été préparés à leur intention par le maître d'œuvre des dieux. Mais leurs épreuves ne s'arrêtent

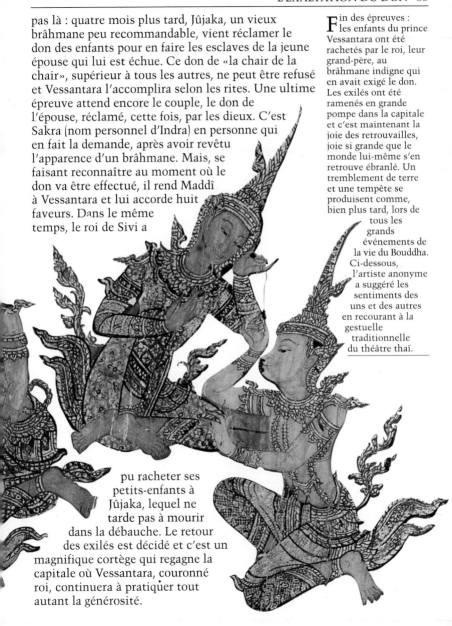

pas là : quatre mois plus tard, Jûjaka, un vieux brâhmane peu recommandable, vient réclamer le don des enfants pour en faire les esclaves de la jeune épouse qui lui est échue. Ce don de «la chair de la chair», supérieur à tous les autres, ne peut être refusé et Vessantara l'accomplira selon les rites. Une ultime épreuve attend encore le couple, le don de l'épouse, réclamé, cette fois, par les dieux. C'est Sakra (nom personnel d'Indra) en personne qui en fait la demande, après avoir revêtu l'apparence d'un brâhmane. Mais, se faisant reconnaître au moment où le don va être effectué, il rend Maddî à Vessantara et lui accorde huit faveurs. Dans le même temps, le roi de Sivi a

Fin des épreuves : les enfants du prince Vessantara ont été rachetés par le roi, leur grand-père, au brâhmane indigne qui en avait exigé le don. Les exilés ont été ramenés en grande pompe dans la capitale et c'est maintenant la joie des retrouvailles, joie si grande que le monde lui-même s'en retrouve ébranlé. Un tremblement de terre et une tempête se produisent comme, bien plus tard, lors de tous les grands événements de la vie du Bouddha. Ci-dessous, l'artiste anonyme a suggéré les sentiments des uns et des autres en recourant à la gestuelle traditionnelle du théâtre thaï.

pu racheter ses petits-enfants à Jûjaka, lequel ne tarde pas à mourir dans la débauche. Le retour des exilés est décidé et c'est un magnifique cortège qui regagne la capitale où Vessantara, couronné roi, continuera à pratiquer tout autant la générosité.

L'avant-dernière existence

A sa mort, Vessantara renaît au ciel des dieux Tusita (les Calmes ou les Satisfaits, dont le ciel est le quatrième du «domaine des désirs» qui en compte six), la règle établie étant que tous les Bodhisattva

Le Bodhisattva, dieu du ciel des Tusita, enseigne la Loi aux autres dieux, en attendant le temps de sa descente parmi les hommes pour sa dernière naissance. La scène (ci-contre), figurée à Borobudur au IXᵉ siècle, avec une grande sobriété et une science consommée de la composition et de la répartition des pleins et des vides, caractérise assez bien l'art bouddhique de la région centrale de Java.

Sur ce fragment d'une balustrade de *stûpa* de l'art d'Amarâvatî (IIIᵉ-IVᵉ siècle environ), un sculpteur a figuré, en trois scènes juxtaposées et animées d'une multitude de personnages, la descente du Bodhisattva pour son ultime incarnation. A gauche, prenant congé des dieux Tusita, il les console en leur annonçant que Metteyya leur enseignera la Loi. Dans la partie centrale, c'est son départ, sous l'aspect «conseillé par le *Veda*» d'un éléphant blanc, que portent en procession, sous un baldaquin, des dieux et des déités de tous rangs manifestant leur allégresse. A droite enfin, c'est l'incarnation dans le sein de la reine Mâyâ, couchée sur le côté gauche au milieu de ses suivantes, comme elle est bien souvent figurée dans l'art d'Amarâvatî. L'ensemble de ces compositions paraît étonnamment fidèle à l'esprit et à la lettre du *Lalitavistara*, le célèbre texte sanskrit relatant la vie du Bouddha, vers le Iᵉʳ siècle av. J.-C.

naissent parmi eux pour leur avant-dernière existence. Et celle-ci est fort longue puisque, selon un texte canonique, 400 années de notre monde ne représentent qu'une journée au ciel des Tusita et que la vie de ces derniers dure 4 000 de leurs années.

Lorsque le temps est venu pour qu'un Bouddha apparaisse sur terre (toutes les périodes du monde n'étant pas aptes à saisir l'enseignement d'un Bouddha), les dieux des «dix mille mondes» s'assemblent pour demander au Bodhisattva de naître, pour sa dernière existence, parmi les hommes. C'est ainsi que, comme ils l'ont fait pout tous les Bouddha du passé et le feront pour tous ceux des temps futurs, ils sont venus solliciter Svetaketu («Blanche et brillante apparition», nom du Bodhisattva parmi les Tusita), pour qu'il se dispose à re-naître parmi les hommes. De fait, bien souvent avant d'être parvenus au terme de leur vie divine – terme dont les signes avant-coureurs sont complaisamment énumérés par les traités cosmologiques –, les Bodhisattva sont ainsi invités, lorsque les conditions optimales paraissent réunies, à préparer sans plus attendre l'ultime naissance qui les conduira au «complet Eveil».

Ainsi commence la biographie du Bouddha historique

Le Bodhisattva détermine lui-même, par les Cinq Grandes Investigations, le temps (favorable), le continent, le lieu de sa naissance, sa lignée (son clan, *kula*) et la mère qui le portera. La connaissance qu'il a du passé comme des événements futurs le conduit, le moment venu, à choisir en raison de leur pureté une modeste confédération dirigée par les Çâkya (un clan de *kshatriya*) et pour parents le roi Çuddhodana (de lignée brâhmanique) et sa première épouse, la reine Mâyâdevî. Désormais, il est prêt à affronter les «circonstances proches» qui, aboutissant à l'«acquisition de l'Eveil», mèneront à l'enseignement de la «Bonne Loi» attendue de tous les êtres.

Ses choix fixés, le Bodhisattva expose aux dieux Tusita, pour les «instruire, éclairer, réjouir et réconforter», les «cent huit portes lumineuses de la Loi» et leur présente celui qui sera le Bouddha des temps futurs, le Bodhisattva Metteyya. Toutes les conditions étant désormais réunies, le Bodhisattva peut quitter le ciel Tusita pour naître parmi les humains. Ainsi commence la biographie du Bouddha historique.

Conception et naissance de Siddhârtha

Les textes s'accordent généralement sur la trame d'un récit plus ou moins agrémenté d'un merveilleux dont

❝Le Boddhisattva se mit à s'éloigner de la demeure des Tusita. Et, par le Bodhisattva s'éloignant ainsi, fut projetée de son corps une lumière telle que, par cette lumière, cette région du monde, composée de trois mille grands milliers, fut complètement remplie d'une lumière surpassant la lumière divine, abondante, répandue partout et qui, auparavant, n'avait jamais paru.**❞**

Lalitavistara,
chapitre V

il est inséparable et qui témoigne autant de la foi des narrateurs que de leur inclination à magnifier tout fait notoire, si conforme aux meilleures traditions littéraires du monde indien.

Le roi Çuddhodana et la reine Mâyâ étant alors sans enfants et pratiquant la continence, la conception du Bodhisattva est considérée comme immaculée. Souverains de la modeste confédération tribale des Çâkya, le père et la mère du futur Bouddha appartenaient à la caste des guerriers avec, semble-t-il, le brâhmane Gautama pour souche de leur lignée. Au cours d'un songe, la reine voit un éléphant blanc pénétrer son flanc droit Pour les devins, cela signifie la promesse de

Le songe de la reine Mâyâ est figuré à Bharhut d'une manière relativement réaliste (ci-dessous) : l'éléphant est de grande taille, ce qui incite à penser qu'il ne s'agit pas là de l'incarnation du Bouddha, mais bien du rêve prémonitoire de Mâyâ. A gauche, un détail du *Cercle aux mille rais de lumière*, phénomène qui marqua le départ du Bodhisattva hors du ciel des Tusita.

« La capitale est vaincue et en ruines», avait noté le voyageur chinois Xuanzang en visitant le monastère de Kapilavastu (ci-contre), au début du VIIe siècle. Il avait confondu les vestiges de ce monastère récemment déserté du fait des invasions, avec l'enceinte royale «construite en brique» et «encore solide et élevée». Il ne subsiste rien, en fait, du règne de Çuddhodana.

la naissance d'un fils qui ne pourra être qu'un *cakravartin* (monarque universel) ou un Bouddha s'il renonce au monde. Dix mois (lunaires) après la conception, la reine désirant visiter ses parents quitte Kapilavastu, accompagnée de sa sœur cadette et de suivantes. S'étant arrêtée dans le parc de Lumbini, debout sous un arbre dont elle saisit l'une des branches, elle donne naissance au Bodhisattva qui sort de son flanc droit «sans la blesser». Sakra et Brahmâ le reçoivent dans leurs bras de telle sorte que n'étant «touché par aucun être humain, ce furent des divinités qui, en premier lieu, le reçurent». Le Bodhisattva, se dressant alors sur un grand lotus surgi miraculeusement, aurait été baigné par deux rois Nâga puis, faisant sept pas en direction du nord et fixant tour à tour les points cardinaux, il proclame «comme un lion exempt de crainte et de terreur» qu'il vaincra «la maladie et la mort».

La vie du Bouddha s'est déroulée tout entière dans le bassin moyen du Gange, zone centrale de l'actuel Uttar Pradesh. Proche de Kapilavastu, le lieu de la Naissance se situe dans le sud du territoire népalais, à environ 190 kilomètres à l'ouest de Kathmandu.

Reçu par les dieux «avant qu'aucun être humain n'ait pu le toucher», le Bodhisattva (à droite) se dresse sur le sol et, convaincu qu'il est parvenu à sa dernière naissance, il marche vers chacun des quatre points cardinaux.

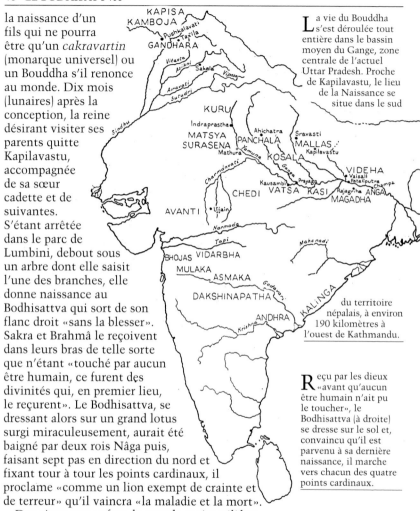

Des cieux aux enfers, le monde entier célèbre l'événement. Dans le même temps naissent sa future épouse, son écuyer, son cheval et divers rois. Sept jours après la Naissance, la reine Mâyâ meurt pour renaître au ciel des Tusita. Dès lors, Mahâprajâpatî, sa sœur cadette, seconde épouse du roi, élèvera le Bodhisattva jusqu'à sa septième année.

La prédiction du sage Asita

Peu après la Naissance, le Bodhisattva est ramené en grande pompe, et accompagné des dieux, à Kapilavastu. En accord avec une coutume des Çâkya, il est présenté au temple d'Abhaya («sans-peur»), leur divinité protectrice. Le roi lui donne le nom personnel de Siddhârtha («qui obtient la réussite, la prospérité»); les devins établissent alors son horoscope et examinent les «trente-deux marques et les quatre-vingts signes secondaires de l'homme éminent» dont il est pourvu et qui témoignent des mérites antérieurement acquis.

Tout confirme qu'il est destiné à être un monarque universel ou un Bouddha. Ainsi deux possibilités sont envisageables, la première

Jusqu'à la fin du IVe siècle, les diverses sectes du pays Ândhra (au sud-est de l'Inde), d'où provient le bas-relief ci-dessus, se sont interrogées sur la représentation du Bouddha, être exeptionnel, supérieur aux hommes et aux dieux : fallait-il lui donner un aspect humain ou se contenter d'une évocation symbolique? le montrer depuis l'acquisition de l'Eveil ou dès sa Naissance? Ici, c'est le symbole qui a prévalu; la présence du nouveau-né n'est que suggérée par la présence, au centre et en haut de la composition, d'un parasol encadré de chasse-mouches.

Comme bien souvent dans la peinture tibétaine, l'œuvre ci-contre présente, dans une composition hautement décorative, une vision synthétique des événements. Nombre de détails évoquent les textes du *Lalitavistara*. A droite, Mâyâdevî, la mère du Bouddha, étend «le bras droit pareil à la vue d'un éclair» vers l'arbre qui «s'incline en saluant». A gauche, le Bodhisattva se dresse «sur le grand lotus apparu, perçant la terre». Au-dessus de lui se tiennent «Nanda et Upânanda, tous deux rois des Nâga, se montrant à mi-corps dans l'étendue du ciel, ayant fait apparaître deux courants d'eau froide et chaude pour le baigner. [...] Dans l'air, un parasol précieux apparaît [...] et lui, se tenant sur le grand lotus, regarde les dix points de l'espace avec le regard du lion, avec le regard de l'homme éminent» (*Lalitavistara*). Puis, faisant face à chacune des régions, le Bodhisattva fait sept pas, marqués par des lotus nés spontanément. La «demeure précieuse» qui, «dix mois durant», l'avait isolé du contact du sein maternel est recueillie par les dieux et «emportée dans le monde de Brahmâ». La longueur exagérée des bras du Bodhisattva est l'une des «trente-deux caractéristiques de l'homme éminent».

Les prétendants au mariage avec Gopâ durent affronter trois épreuves, dont une de tir à l'arc, où le Bodhisattva triompha aisément. Traitée dans le style chinois (page de droite) à Dunhuang, en Asie centrale, cette épreuve de force et d'adresse est célèbre dans l'ensemble de l'ancien monde.

En ce temps-là, le grand rishi Asita demeurait sur le versant de l'Himalaya, le roi des montagnes, en compagnie de Naradatta, le fils de sa sœur, et il était doué des cinq facultés surnaturelles. Dès la naissance du Bodhisattva il aperçut nombre de merveilles, de prodiges et de miracles. Dans le firmament, les fils des dieux, pleins d'allégresse, couraient çà et là en agitant leurs écharpes. A cette vue, il se dit : "Allons, il faut que je regarde autour de moi." Embrassant de son regard divin l'ensemble de l'Inde, il s'aperçut que, dans la grande ville qui porte le nom de Kapila, dans la maison du roi Çoudoddhana, était né un petit prince resplendissant de cent splendeurs sacrées, loué de tout l'univers et doté des trente-deux marques caractéristiques du grand homme.

Lalitavistara,
chapitre VII

Sitôt né, sitôt debout sur le lotus magiquement surgi du sol (ci-dessous), le Bodhisattva proclame, main droite levée, sa primauté sur le monde : «Je serai celui qui marche en avant de toutes les lois qui ont la vertu pour racine.» La représentation paraît influencée par l'iconographie chinoise; toujours présente chez le Bouddha adulte, la protubérance crânienne est très rare pour le Bodhisattva enfant.

satisferait un roi sans autre héritier, la seconde bénéficierait à tous les êtres. C'est au sage Asita (chapelain du père de Çuddhodana et maître de ce dernier selon certaines versions) qu'il appartiendra de révéler que l'enfant sera un Bouddha «parfaitement et complètement Eveillé». Retiré dans l'Himalaya, il a appris, grâce à ses pouvoirs merveilleux, la naissance du Bodhisattva; décidé à le révérer, il vole par magie jusqu'à Kapilavastu. Là, discernant que le prince Siddhârtha atteindra certainement l'Intelligence suprême et «mettra en mouvement la Roue de la Loi», il pleure sur son âge, si avancé qu'il ne lui permettra pas d'en être témoin.

Les premières années

Jusqu'à ses sept ans, Siddhârtha est élevé par sa tante Mahâprajâpatî, assitée de nourrices. Peu de faits sont rapportés pour cette période si l'on excepte l'acquisition, en sa septième année, du «premier stade de la méditation» durant la cérémonie du «sillon sacré» accomplie par le roi.

A partir de la même année, débute l'éducation proprement dite, qui consiste en la maîtrise des «soixante-quatre arts» dont la liste, connue, inclut aussi bien les disciplines de l'esprit que l'habileté technique ou sportive. Le Bodhisattva y fait merveille, dépassant à l'occasion ses maîtres.

Vers ce moment se manifesteraient la rivalité et la jalousie de son cousin Devadatta à l'égard du Bodhisattva. Tous les textes, à commencer par les *Jâtaka*, tendent à présenter ces détestables dispositions comme le mauvais «fardeau» que Devadatta porte d'existence en existence.

Le mariage et la vie princière

Siddhârtha ayant atteint ses seize ans, l'âge de sa majorité, le conseil des Çâkya réalise qu'il est temps pour le futur souverain de contracter mariage. L'avis du prince est sollicité; songeant que tous les Bouddha

Traitée au monastère de Mulgirigala (sud du Sri Lanka), à la fin du XIXᵉ siècle, la scène du concours de tir à l'arc dépeint des épreuves bien différentes de celles montrées à Dunhuang (page précédente). Ni l'une ni l'autre pourtant ne fait état du véritable triomphe du Boddhisattva, utilisant l'arc de son aïeul, que nul n'avait jamais pu seulement soulever.

du passé ont suivi la voie du mariage, il ne saurait la refuser et précise donc les qualités qu'il conviendra de déceler chez l'épouse pressentie.

Le chapelain royal lui-même part à sa recherche dans le clan des Çâkya et la trouve en la personne de Gopâ (ou Bimbâ, Yaçodharâ). L'ayant distinguée parmi une foule de jeunes filles, le Bodhisattva sera choisi après avoir triomphé des autres prétendants au cours d'une compétition dans les divers arts, et particulièrement en ayant réussi à tendre l'arc de son ancêtre Sinhahanu que nul n'était capable de soulever. Observons que l'épisode évoque à la fois les conditions de l'union de Râma et de Sîtâ (*Râmâyana*, livre I) et de celle d'Arjuna et de Draupadî (*Mahâbhârata*, livre I).

L'union célébrée, le roi s'efforce d'attacher le Bodhisattva à la fonction royale en lui procurant tous les agréments pour son plaisir, «cinq plaisirs des sens» compris, et pour son service, tout en lui évitant, du moins c'est ce qu'il espère, tout ce qui pourrait l'inciter à ce renoncement au monde que les prédictions et un songe récent, montrant Siddhârtha sous l'apparence d'un religieux errant, lui font redouter.

❝Dans cette demeure, la première de toutes, où séjourne le Boshisattva, et, pendant qu'il séjourne dans cette noble demeure, le meilleur des asiles, lui qui est sans tache, [...] les conques, les tambours, les timbales, les·tambours d'airain, les harpes, les luths, les tambourins, les cymbales et les flûtes font entendre les sons agréables de leurs accords, les sons variés et retentissants de leurs symphonies pendant qu'il est éveillé; et la troupe des femmes à la voix flexible, douce et allant au cœur, tenait éveiłlé le Bodhisattva avec des accords et des concerts de mélodies enchanteresses.❞

Lalitavistara,
chapitre XIII

Les quatre rencontres et le dégoût du monde

Créés pour lui éviter toute vision douloureuse, ce sont les jardins de plaisance voulus par le roi qui vont révéler, ou plutôt réveiller, cette obsédante réalité de la douleur si souvent ressentie par le Bodhisattva au cours des temps : douleur physique, douleur morale, renouvelées d'existences en existences successives.

Se rendant dans chacun des parcs, il aurait d'abord rencontré, à l'est, un vieillard «affaibli», «dédaigné, sans protecteur, incapable d'agir». Au sud, ç'aurait été un malade «épuisé», «arrivé au seuil de la mort, sans protection, sans abri, sans asile». Puis à l'ouest, ce sera un cortège funèbre se dirigeant vers le bûcher. Alors, évoquant «la vieillesse, la maladie et la mort qui toujours sont liées l'une à l'autre», le Bodhisattva s'engage à songer à la «délivrance». Elle lui apparaîtra lors de la quatrième rencontre, au nord; ce sera celle d'un religieux errant qui dans le «calme de soi-même», allait «sans affection, sans haine, demandant l'aumône». Dès lors, Siddhârtha sait que l'«entrée en religion», louée par les sages, volontiers pratiquée par les plus grands personnages parvenus à l'âge mûr, «est utile à soi et utile aux autres êtres».

A Dunhuang encore, les rencontres ont été traitées dans un style très libre, presque familier, d'inspiration chinoise. Les trois scènes ici reproduites montrent le Bodhisattva à cheval, sortant seul de la ville et confronté à trois de ces vérités qu'on avait voulu lui cacher : un vieillard misérable et décrépit, un malade grabataire et un religieux déambulant en toute sérénité.

La troisième des quatre rencontres, celle du mort emmené au bûcher, est traitée (ci-contre) dans un esprit beaucoup plus classique par le peintre tibétain : il ne représente pas le Bodhisattva en la personne d'un promeneur solitaire, mais bien comme le prince Siddhârtha sur son char surmonté du parasol, et accompagné de sa suite.

Le roi, n'ignorant rien de ces rencontres ni des dispositions d'esprit du prince, multipliera les fêtes pour le distraire tout en le faisant garder toujours plus étroitement. Pourtant, tandis que lui naît un fils auquel il donne le nom de Râhula («lien»), le Bodhisattva décide de renoncer au monde : la vue de sa suite féminine, abandonnée au sommeil sans la moindre retenue, lui inspire le dégoût tandis que sa paternité est ressentie comme une nouvelle source d'attachement.

Rencontre décisive, celle du religieux «calme en soi-même» et mendiant «sans affection, sans haine» s'opère, comme les trois autres, aux portes mêmes de la ville. Ainsi le peintre signifie-t-il en toute simplicité la précarité de ces parcs de plaisance, censés préserver le Bodhisattva des visions de la douleur.

Conforté dans sa décision de rompre avec la vie du monde par la vue des femmes du gynécée dormant dans un abandon impudique, le Bodhisattva contemple une dernière fois son épouse et son fils nouveau-né, avant de rejoindre son écuyer et son cheval, qui l'attendent, le cœur rempli de tristesse, pour le départ qu'il a décidé.

Le grand départ et le rejet du monde

En son vingt-neuvième anniversaire, de nuit, le Bodhisattva décide la «sortie de la famille». Ayant demandé à son père de l'y autoriser et contemplé son épouse et son fils endormis, il quitte secrètement le palais, monté sur son cheval Kanthaka et accompagné de son écuyer Chandaka, en dépit de la tristesse du premier et des instances du second. Les dieux facilitent la fuite, plongeant la ville dans le sommeil, ouvrant les portes, soutenant les sabots du cheval pour en étouffer le bruit. Et comme lors de la Descente du ciel des Tusita, des prodiges se produisent dans tout l'univers.

Le Bodhisattva se dirige alors vers le sud-est, traverse trois petits royaumes et, malgré l'opposition de Mâra, un très puissant dieu considéré comme le tentateur et la personnification du mal et de la mort, dont ce serait la première manifestation, il franchit la rivière Anomâ. Là, pour affirmer son choix, il coupe sa chevelure – qui sera transportée au ciel d'Indra par les dieux – échange ses vêtements contre ceux d'un chasseur et renvoie son écuyer, son cheval et ses parures princières à Kapilavastu. Ils y témoigneront du changement irrévocable et – de tels exemples de fidélité animale ne sont pas exceptionnels – Kanthaka se laissera mourir de chagrin; il renaîtra au ciel d'Indra.

Plus que l'abandon des parures et des vêtements princiers, la coupe de ses cheveux par le Bodhisattva, à l'aide de sa propre épée, marque un choix définitif. Rejetant ainsi un privilège de sa caste, il s'engage dans la voie des religieux errants.

Jusqu'au Ve siècle de notre ère, le Grand Départ a été regardé comme un miracle : la Naissance du Bodhisattva à la vie religieuse. La représentation de cet épisode est assez bien fixée : les dieux tiennent les sabots du cheval, et l'écuyer s'accroche à sa queue. Ajustements et harnachement évoquent ici le théâtre birman de la fin du XIXe siècle.

Triomphant des derniers obstacles, le Bodhisattva parvient au terme de sa longue quête. Devenant le Bouddha «parfaitement et complètement Eveillé», possédant les Quatre Nobles Vérités, il enseignera désormais la Bonne Loi, sa découverte, pour le bien de tous les êtres.

CHAPITRE III
L'ÉVEIL ET LE PREMIER SERMON

Durant toute la deuxième semaine après l'acquisition de l'Eveil, le Bouddha se tient debout sur une fleur de lotus, mains croisées, contemplant d'un regard fixe, «sans cligner les yeux», l'Arbre de la Bodhi (également figuré à droite sur un bas-relief) et le trône «de diamant», le trône «inébranlable» apparu dans l'instant où il avait affirmé sa volonté de parvenir à l'Eveil.

Désormais, le prince Siddhârtha est devenu le religieux itinérant Gautama. Recevant l'hospitalité des uns et des autres, il gagne par étapes Vaiçâlî et s'y mêle aux disciples d'Ârâda Kâlâpa, maître brahmanique qui enseigne l'inexistence substantielle de toutes choses. Gautama saisit très vite cette doctrine, aussi est-il associé à la formation des disciples; mais comprenant aussi qu'elle ne peut conduire à la «totale extinction de la douleur» liée à la succession sans fin des re-naissances et des re-morts, il décide de chercher un autre maître et se dirige vers la capitale du Magadha, Râjagriha. Il y est visité par son roi, Bimbisâra, qui deviendra par la suite le plus fidèle soutien du Bouddha et de la Communauté. Pour l'heure, le Bodhisattva poursuit ses recherches et se joint aux 700 disciples d'Udraka Râmaputra; la doctrine enseignée ne répond pas, elle non plus, à son attente; alors il s'éloigne à nouveau, suivi cette fois de cinq autres disciples. Plus tard, désignés comme «ceux de l'heureux groupe», ils sont les premiers auditeurs de la Bonne Loi. A la recherche d'un lieu agréable et propice à la méditation, ils se dirigent vers Gâyâ, et s'installent à Uruvilvâ, près de la rivière Nairañjanâ.

La vanité de l'extrême ascèse

N'ayant pu trouver le maître espéré, Gautama, devenu le Çâkyamuni (le «sage des Çâkya»), décide de découvrir par lui-même la voie du salut. Pour ce faire, il recourt, comme les autres sages de l'Inde, à des pratiques et à une discipline apparentées à celles du yoga, les assortissant d'un jeûne prolongé. Les dieux le voient perdre ses chairs et tomber dans un état de faiblesse extrême; alarmés, ils avertissent sa mère, re-née parmi eux, et son père qui se refuse à admettre son insuccès. Le Bodhisattva poursuit dans la même voie, et les «marques de l'homme éminent» s'effacent de son corps, ses facultés s'obscurcissent. Mâra, le mal personnifié, déjà rencontré lorsqu'il renonçait au monde, se manifeste à nouveau, l'engageant à constater son échec.

Alors qu'il ne lui reste plus qu'«un millième de vitalité», Indra apparaît à Gautama. Jouant d'un luth à trois cordes, il lui montre que seule une corde correctement tendue rend un son agréable alors que celle qui est détendue ne donne aucun son et que celle qui l'est trop casse immanquablement :

Vêtu déjà comme un moine bouddhiste, le Bodhisattva reçoit l'enseignement du maître brahmanique Udraka Râmaputra (ci-contre), fondé sur la réalisation d'un état sans conscience ni inconscience. Ayant compris que cet état ne pourrait le conduire à l'Eveil qu'il recherche, le Bodhisattva s'éloigne et se livre, seul, au jeûne assorti d'une discipline de rétention du souffle inspirée du Hathayoga, «yoga de force», que seul l'art du Gandhâra, à l'époque ancienne, a osé évoquer au mépris de l'idéalisation constante du Bienheureux (page de gauche). Cette éprouvante ascèse l'affaiblit à tel point que ses cinq compagnons eux-mêmes s'en alarment (ci-dessous).

de même, seul celui qui saura se tenir loin de tout excès parviendra au but qu'il s'est proposé. Gautama décide donc de mettre fin à sa vaine ascèse et, encore défaillant, entreprend de restaurer son apparence et ses forces. Du linceul d'un cadavre (ou, selon une autre version, du haillon d'une mourante), il se fait un vêtement de religieux et peut dès lors quêter sa subsistance, reprendre des forces et atteindre le but poursuivi depuis, maintenant, six années. Des villageoises lui offrent de la nourriture; il recouvre son apparence et ses facultés à vue d'œil.

Ses cinq compagnons ne comprennent pas cet abandon des austérités qui leur semble une démission : ils le quittent et partent pour Rishipatana, près de Bénarès. Le Bodhisattva se dirige alors vers l'«arbre du chevrier» (*ajapâla*) pour continuer ses méditations. C'est là que Sujâtâ (« bien née»), se croyant en présence de la divinité de l'arbre à laquelle elle avait adressé un vœu, lui fait l'offrande, dans un bol d'or, d'une «succulente bouillie de riz» qu'il accepte.

Un pèlerin chinois du VIIe siècle, Xuanzang, rapporte que le Bodhisattva aurait séjourné dans la grotte (ci-contre), à mi-pente du mont Pragbodhi, jusqu'à ce qu'un dieu «des séjours purs» lui ait révélé qu'il n'obtiendrait l'Eveil qu'au pied de l'Arbre de la Bodhi, à quelques kilomètres de là.

" Cependant, que ce soit ou non sur l'avertissement des dieux, Sujâtâ prépare, avec la crème recueillie sur le lait d'un millier de vaches et avec une poignée de riz nouveau, le plus savoureux et nourrissant des mets. [...] C'est cette précieuse nourriture qu'elle lui apporta sous l'Arbre du chevrier ou que, selon certains textes, elle lui aurait remis tandis qu'il mendiait dans son village.**"**
Lalitavistara, chapitre XVIII

La préparation
au «suprême complet Eveil»

Au cours de la nuit précédente, le Bodhisattva a eu cinq songes prémonitoires de l'imminence de l'acquisition de l'Eveil. Après s'être baigné dans la Nairañjanâ, il divise donc la nourriture reçue en 49 parts destinées à chacun des jours qu'il sait nécessaires à la consécration de l'Eveil.

Comme un religieux ne peut conserver un objet précieux, il jette à la rivière le bol d'or qui, remontant le courant, arrive dans la demeure du roi Nâga Mahâkâla et heurte les bols précieux pareillement jetés par les trois Bouddha prédécesseurs de Gautama dans la même circonstance.

Il passe le reste de la journée dans un bois. Le Bodhisattva, qui a maintenant recouvré les «marques de l'homme éminent» dans leur plénitude, se sait prêt à acquérir l'Eveil et se dirige vers le Bodhimanda («essence de l'Eveil»), lieu immuable considéré comme le centre de la Terre, le seul capable de supporter le poids de l'Eveil qu'y obtiennent les Bouddha successifs. C'est là qu'il va s'asseoir, face à l'est, sur une jonchée d'herbe *kuça* demandée à un coupeur d'herbes.

Pour le *Commentaire* des *Jâtaka*, nous sommes désormais en présence des «circonstances récentes, finales», celles au cours desquelles le Bodhisattva, par le «complet acte d'Eveil», devient le Bouddha qui enseignera les Quatre Nobles Vérités.

Assaut et défaite de Mâra

Il a déjà été question de Mâra. Son nom évoque, par sa racine «*mri*», l'idée de mort ; il est assimilé au démon et désigné comme «le pire» (*pâpîyân*). Pourtant, c'est un très grand dieu qui domine le monde des désirs et régit les destinées infernales, celles des animaux, des mânes, des humains et de six étages de divinités qui, pour goûter des plaisirs de plus en plus éthérés, n'en restent pas moins liées à la satisfaction des sens. Mâra comprend quelle menace de ruine représenterait pour son empire la découverte des causes productrices de re-naissances sans fin et du moyen de les abolir. Il décide de mettre fin à l'entreprise de Gautama.

Tout sera bon pour y parvenir. Pour nombre de bouddhistes, et l'iconographie le prouve dès les premières images, l'épisode est considéré comme le sommet de la carrière du Bodhisattva. En effet, seul le triomphe des vertus sur tous les liens qui enchaînent les êtres peut permettre l'acquisition de l'Eveil. La nécessité d'illustrer cette idée par des symboles accessibles à tous explique le succès constant de l'iconographie représentant l'assaut et de la défaite de Mâra.

L'acquisition de l'Eveil

C'est au cours de la nuit de pleine lune du mois de *vaiçâkha* (avril-mai), au jour de son 35e anniversaire, selon la tradition, que Gautama, le Çâkyamuni, parvient au «suprême complet Eveil», devenant, dès lors, le Bouddha. Lors de la première veille (en Inde, les nuits

Main droite dirigée vers le sol, «prise de la terre à témoin», ce geste du Bouddha évoque la victoire sur Mâra, précédant l'acquisition de l'Eveil.

La victoire remportée par le Bodhisattva sur Mâra et sur toutes les forces du mal qu'il régit en tant que maître des mondes soumis aux désirs, ne pouvait être évoquée plastiquement qu'en recourant à l'allégorie. Les textes eux-mêmes, pour mieux convaincre les fidèles des dangers qui les menacent, ont utilisé les mêmes procédés. Il est ainsi difficile de discerner si ce sont les images qui ont inspiré les textes ou ces derniers qui ont guidé les sculpteurs et les peintres dès les premières manifestations de l'art bouddhique. Pour évoquer tous les périls, il fallait les figures les plus effrayantes et les plus démoniaques. Sous toutes les latitudes, à toutes les époques, le même vocabulaire a été utilisé, mais les contrées bouddhiques y ont toujours excellé.

en comportent trois), le Bodhisattva parcourt les quatre stades successifs de la méditation qui, libérant son intellect de tout lien, le conduisent à la «pureté totale d'imperturbabilité et de présence d'esprit». La deuxième veille lui permet, grâce à sa faculté de voyance (l'«œil divin») de revoir le déroulement de ses existences et de celles des autres êtres. Il constate ainsi leur incessant et désolant recommencement et la souffrance qui en résulte.

La troisième veille est celle du «suprême complet Eveil» (*abhisambodhi*) : ayant pris conscience de la loi des «productions réciproques» des causes et des effets, au nombre

Cette colossale sculpture rupestre, exécutée au XIIe siècle à Polonnaruwa (Sri Lanka) figure le Bouddha historique en méditation, mais le traitement exceptionnel du chevet ne permet pas de reconnaître quel moment, postérieur à l'Eveil, est ici évoqué.

de douze, et de leur inévitable enchaînement, le Bodhisattva découvre, par déduction, comment mettre fin à ces productions.

Il possède désormais les Quatre Nobles Vérités – vérité sur la douleur, vérité sur l'origine de la douleur, vérité sur la cessation de la douleur, vérité sur le chemin octuple (dont les huit branches symbolisent l'acquisition des huit perfections) menant à la cessation de la douleur –, et devient, de ce fait, le Bouddha.

C'est le deuxième grand miracle. Les dieux, qui ne pouvaient demeurer présents alors que l'un des plus grands d'entre eux assaillait le Bodhisattva, reviennent pour le célébrer au milieu des prodiges coutumiers. Ce sont aussi les fondements mêmes de la doctrine «difficile à comprendre» qu'un Bouddha «parfaitement et complètement Eveillé» se doit d'enseigner.

Révélant à l'ensemble des êtres la voie qui permet de mettre un terme à la transmigration, dont l'idée est résumée par le Samsâra, cette doctrine leur montrera que c'est par l'abstention de tout péché, la pratique du bien, la purification de la pensée que, progressant dans la méditation, ils parviendront à la juste connaissance qui les conduira au *nirvâna*, état ineffable de non-renaissance.

Assis, les mains réunies dans le giron, le Bouddha est en méditation, mais rien dans son attitude ne permet de discerner si l'image est celle d'un Bouddha du passé, du Bouddha historique ou même celle d'Amitâbhâ, «Eclat infini», l'un des Bouddha les plus populaires du Mahâyâna, toujours ainsi représenté. C'est donc le contexte qui permet de préciser l'identité de l'image. Ce Bouddha de l'art du Gandhâra (à gauche, en haut) est bien le Bouddha Gautama, parce que son socle montre les dix Bouddha du passé, ses prédécesseurs dans la même attitude. Il en est de même de l'image peinte au Sri Lanka au XIXe siècle (ci-contre), puisque seul le Bouddha Gautama a acquis l'Eveil sous l'arbre pippal ici stylisé.

En Thaïlande, le roi Râma III (1824-1851) mit en œuvre un vaste programme de construction et de restauration des temples bouddhiques, qui permit un exceptionnel essor de la peinture murale. Ainsi furent exécutées, en 1850 à Thonburi, en face de Bangkok, les peintures de Wat Thong Thammachat qui, sans compter parmi les œuvres majeures du règne, n'en présentent pas moins autant de charme que d'intérêt, tout en respectant les principes traditionnels des fresques thaïes classiques. Les trois scènes ici reproduites illustrent des épisodes déterminants de la carrière du Bouddha. C'est d'abord (première double page) la «leçon des trois cordes», au cours de laquelle Indra, jouant du luth, engage le Bodhisattva à choisir la voie moyenne qui, éloignée de tout excès, lui permettra seule de progresser. Vient ensuite l'offrande de délicieux mets apportés par Sujâtâ et sa servante au Bodhisattva assis sous l'«arbre du chevrier». Ci-contre enfin, le don de l'ermitage du Parc des bambous, le premier offert au Bouddha et à la Communauté naissante. Comme toujours en pareille circonstance, le don est sanctifié par l'eau versée sur la main du bénéficiaire, le Bouddha, par le donateur, le roi Bimbisâra.

Les premières semaines après l'Eveil

Selon, surtout, la tradition pâli, le Bouddha serait demeuré durant sept semaines sur le site et dans le voisinage immédiat du Bodhimanda, s'y livrant à des méditations et à divers exercices religieux.

Durant la première semaine, passée sous l'Arbre de la Bodhi, (açvattha, un arbre pippal, le *Ficus religiosa*), conformément à la règle «qui interdit aux rois de quitter le lieu de leur sacre pendant les sept jours qui le suivent» (J. Filliozat), il médite à nouveau sur la «loi de production réciproque», comme l'ont d'ailleurs fait tous les Bouddha antérieurs. Au cours de la seconde, après avoir confirmé aux dieux l'acquisition de l'Eveil, se rendant au nord-est de l'Arbre de la Bodhi, dans la région de Bodh Gayâ, il se tient debout, immobile, et le contemple sans ciller sept jours durant. La troisième semaine est occupée à déambuler de ce point au site de l'Eveil, marche répétée tout au long des sept jours sur une distance d'une quinzaine de mètres seulement, selon le témoignage de Xuanzang et de l'archéologie

Au IIIe siècle av. J.-C., l'Arbre de la Bodhi fut l'objet d'une véritable vénération de la part du roi Açoka, qui l'entoura d'une enceinte avec galerie et fit sculpter une dalle de pierre représentant le siège de l'Eveil. L'arbre devait périr au XIIe siècle. Quand fut introduit le bouddhisme au Sri Lanka, on en apporta une bouture; c'est de celle-ci que provient l'arbre que l'on voit aujourd'hui à Mahâbodhi.

Les empreintes, symboliques, des pieds du Bouddha sont l'un des plus anciens objets de vénération des bouddhistes. A Bodh Gayâ, centre plus important encore pour les adeptes de Çiva et de Vishnu que pour les bouddhistes, on ne peut pas toujours attribuer sûrement les empreintes à l'une ou à l'autre des deux religions.

(A. Cunningham); la légende n'en fera pas moins une promenade merveilleuse, jusqu'aux «régions des trois mille grands milliers de mondes», affirme le *Lalitavistara*. La quatrième semaine se passerait à méditer et à réfléchir à la doctrine et à l'œuvre qu'il conviendrait d'accomplir; elle aurait pour cadre une «demeure de joyaux (*ratnagriha*) édifiée par les dieux au nord-ouest. Pour la cinquième, aussi consacrée à la méditation, le Bouddha revient sous l'arbre «du chevrier»; là, dit-on, les trois filles de Mâra interviennent à nouveau et se voient, cette fois, révéler la décrépitude qui les attend inexorablement.

Mahâbodhi, à Bodh Gayâ, le site de l'Eveil, est regardé comme le plus éminent des lieux de pèlerinage par tous les bouddhistes. C'est là, en effet, que tous les Bouddha, ceux du passé et ceux du futur, atteignent le complet Eveil après avoir triomphé de Mâra et des forces du mal. Sur le site du temple actuel, Açoka avait fait édifier un petit sanctuaire, au IIIe siècle av. J.-C. Un grand temple, dont la construction est attribuée par Xuanzang à un roi du Sri Lanka, l'a remplacé vers les Ve-VIe siècles. Ruiné par les musulmans au XIIe siècle, il a été restauré, reconstruit et modifié à diverses reprises, principalement par les bouddhistes birmans qui lui ont donné sa silhouette actuelle, préservée par les restaurations ultérieures.

Le Bouddha est généralement figuré assis sur les replis du roi Nâga, comme si les artistes avaient répugné à évoquer le contact du serpent avec le corps du Bienheureux. Quoique plus fidèle aux textes, cette image singhalaise tardive (ci-contre) est donc inhabituelle. Et si le Nâga polycéphale correspond à une convention qui souligne son haut rang, l'art du Sri Lanka l'a plus souvent représenté avec une seule tête.

Le Nâga Mucilinda

Consacrée à une autre méditation, sous l'arbre Mucilinda, au bord d'un lac du même nom, la sixième semaine est celle «de grand mauvais temps» : un froid et une pluie hors saison risquent d'interdire la poursuite de la méditation et, peut-être même, de compromettre l'irréversibilité de l'acquisition de l'Eveil. Alors intervient Mucilinda, le Nâga (serpent en sanskrit) du lac, qui, soucieux de s'acquérir des mérites et se rappelant que les Bouddha du passé furent soumis à la même épreuve, protège le Bienheureux en se lovant autour de son corps et en l'abritant de son «capuchon» dilaté. Déroutant pour des esprits occidentaux, presque ignoré de certaines sectes, le prodige est au contraire regardé par nombre d'autres comme l'affirmation irrécusable de l'acquisition de l'Eveil, d'où le succès du thème attesté par les plus anciens documents figurés (*Bharhut*, *Pauni*) et, ultérieurement, dans l'ensemble du Sud-Est

«Prenant la terre à témoin», ci-dessus en Thaïlande, le geste du Bouddha évoque l'acquisition de l'Eveil dans son ensemble, de la victoire sur Mâra à la dernière méditation protégée par Mucilinda.

asiatique indianisé. Pour la septième semaine, le Bouddha se rend sous l'arbre Râjâtana («site royal»). C'est là qu'au dernier jour deux frères caravaniers originaires de la péninsule malaise ou de la région des Bactres, Trapusha et Bhallika, lui offrent de la nourriture. Chacun des dieux gardiens des points cardinaux lui présente un bol de matière précieuse que le Bouddha se voit obligé de refuser, car il ne saurait recevoir la nourriture que dans un bol à aumône. Ce sont alors quatre bols de pierre qui sont offerts; le Bouddha les prend et les façonne en un bol unique, pour que chacun des dieux recueille le mérite de son don. Leur offrande pouvant être maintenant acceptée, les deux caravaniers, quoique n'ayant pas reçu d'enseignement, «prennent refuge dans le Bouddha et le *Dharma*». Et le Bienheureux remet à ces premiers convertis des rognures d'ongles et des cheveux, reliques

Retour à la vie normale, marqué par l'acceptation de la nourriture offerte par les deux caravaniers. Il prépare la prochaine décision de dispenser l'Enseignement. La peinture thaïlandaise ci-dessous figure le Bouddha «assis à l'européenne»; convention adoptée généralement lorsque celui-ci accepte un don, elle permet de témoigner de sa bienveillance envers les donateurs par une légère inclination. Le Bouddha tient un bol à aumônes, d'ailleurs analogue à celui des moines bouddhistes: les bols de pierre offerts par les quatre dieux régents des Orients ont donc déjà été acceptés et fondus en un bol unique.

sur lesquelles, de retour dans leur pays,
ils élèveront un *stûpa*.

Le Dharma peut-il être enseigné?

Revenu à l'arbre de l'Ajapâla, le Bouddha songe à
l'enseignement de la doctrine, si nécessaire à tous les
êtres, mais si difficile
aussi à saisir, à tel
point que lui-même a
mis tant de temps à la
découvrir... Que n'a-
t-il un maître à qui
confier son indécision!
Brahmâ Sahampati se
rend alors auprès de
lui et, l'invitant à
regarder ce *Dharma*
comme son maître, il
l'exhorte à triompher
de ses hésitations. Le
Bouddha demeure
silencieux mais
bientôt une image,
s'imposant à son
esprit, entraîne son
acceptation : un étang
de lotus, dont les
fleurs sont soit immergées si profondément qu'elles
n'atteindront jamais la surface, soit dressées,
épanouies en pleine lumière, soit enfin presque à fleur
d'eau. Les premières ne parviendront pas à s'épanouir,
tandis que les secondes sont tirées d'affaire; il suffirait
de peu de chose pour que les dernières puissent éclore.

Les êtres aussi peuvent se répartir en trois groupes :
ceux qui sont prisonniers de l'erreur et des fausses
doctrines, ceux qui ont trouvé la vérité et ceux, enfin,
qui cherchent encore la voie. Les premiers ne
discernent pas encore le chemin, tandis que les seconds
y sont déjà engagés; les uns et les autres n'attendent
guère l'enseignement. Par contre, il y a la foule de ceux
qui hésitent sur le choix du chemin et que peu de chose
pourrait suffire à sauver. C'est pour eux que le Bouddha
enseignera la Loi.

La première
Prédication est
souvent identifiée par
la présence des gazelles
(auxquelles le site
devait son nom, le bois
aux gazelles) encadrant
la Roue de la Loi qui en
est le symbole. Elle n'a
eu, en théorie, d'autres
auditeurs humains que
les Cinq de l'«heureux
groupe», mais textes et
images montrent que
les dieux, qui avaient

tant insisté pour que
la Loi soit enseignée,
s'étaient rassemblés
de nouveau pour
profiter de l'exposé
qui «permet de se
guider soi-même».

Quel auditoire choisir?

Lequel serait le plus apte à saisir l'enseignement? Le Bouddha songe d'abord à ses maîtres éphémères, à Udraka puis à Ârâda, mais son «œil divin» lui révèle que tous deux sont morts récemment. Sa pensée se tourne alors vers les cinq compagnons qui l'avaient quitté lorsqu'il avait renoncé aux austérités, et il décide de les rejoindre près de Bénarès où ils se rendaient. Il rencontre sur sa route un ascète mendiant à qui il déclare être un *jina* («vainqueur»), mais n'est pas encore compris. Arrivé au bord du Gange, sans moyens de payer le passeur, il franchit le fleuve grâce aux pouvoirs surnaturels dont il ne fait que très exceptionnellement usage et poursuit jusqu'au Mrigadâva («bois des gazelles», nommé aussi Rishipatana, c'est-à-dire «chute des ascètes»), où sont ses anciens codisciples. Ces derniers, qui n'ont pas encore compris son «revirement» passé, feignent d'ignorer son approche. Mais plus la distance qui les sépare diminue, plus les Cinq se sentent mal à l'aise. Oubliant leur résolution, ils se lèvent pour aller à la rencontre du Bouddha auquel ils souhaitent la bienvenue, et

Pour l'Inde, la désignation «lotus» englobe les lotus vrais et les nénuphars, distingués seulement par leur couleur et le fait que certains s'épanouissent de jour et d'autres de nuit. Sièges ou supports des Bouddha et des Bodhisattva, ils fournissent l'un des éléments essentiels du décor. Le tantrisme les assimile au cœur «dans la cité du corps», voire au sexe féminin, tandis que la poésie lyrique exalte sans cesse leur beauté.

complimentent le «révérend»
(*âyushmant*) Gautama pour ses «sens
parfaitement maîtrisés, la pureté de
son teint»... Le Bienheureux leur
apprend qu'il n'est plus le «révérend»
Gautama mais un *Tathâgata*, terme
qu'à l'évidence ils connaissent, mais
sur le sens duquel les exégètes
discutent encore. Parmi les huit,
voire les seize significations
proposées par les commentaires voilà
quelque quinze siècles, voici les plus
volontiers retenues : «allé ainsi [que
les Bouddha du Passé]», «arrivé à
[dire] c'est ainsi», ou «celui qui a
acquis la Vérité». Quoi qu'il en soit,
ajoutant encore qu'il est le Bouddha
«omniscient, voyant tout, affranchi
des impuretés et dominant toutes les
lois», il annonce qu'il enseignera lui-
même la Loi et que eux, les Cinq de
l'«heureux groupe», seront ses
premiers auditeurs.

Le sermon de Bénarès

Le premier sermon, ou Sermon de
Bénarès, consacré à l'exposé des
Quatre Nobles Vérités, est souvent
désigné comme la «mise en
mouvement de la Roue de la Loi»,
expression qui apparaît dès la fin
du IIIe siècle apr. J.-C. dans le
Lalitavistara et un peu plus tard
dans les commentaires en pâli. Mais

l'image s'était imposée bien plus tôt, puisqu'elle
représente systématiquement la Bonne Loi et
l'enseignement du Bouddha dans toute l'iconographie
bouddhique ancienne, du règne d'Açoka aux IIIe-IVe
siècles apr. J.-C. Le symbolisme est sans équivoque : de
même que le disque solaire éclaire le monde, la Roue
qui représente la Loi et le Bouddha, Lumière du monde,
brille pour tous les êtres. A souligner encore que la Roue
(*cakra*), premier des trésors du monarque universel

Ce geste du Bouddha
évoque le premier
sermon. Il est défini
comme celui de la
Roue de la Loi (mise en
mouvement). Sauf dans
l'Inde du Sud et dans la
Péninsule indochinoise,
nombreuses sont de
telles représentations
du Bouddha.

(*cakravartin*), guide celui-ci, et que l'une de ses principales attributions, dans la perspective bouddhique, consiste à diffuser la Bonne Loi «pour le bien de tous les êtres».

A l'annonce de ce premier sermon, troisième des grands miracles du Bouddha, les mêmes prodiges se manifestent que lors des deux précédents. Nous sommes au soir de la pleine lune du mois d'*âshâdha* (juin-juillet). Durant la première veille, le Bouddha garde le silence. Pendant la seconde, il explique pourquoi l'ascétisme excessif doit être évité et pourquoi le religieux, se détournant des «voies extrêmes», doit s'engager dans «la voie moyenne». Au cours de la troisième, il expose la doctrine, la Bonne Loi qui marque les débuts de l'Enseignement et, par l'adhésion des premiers disciples qui s'ensuit, ceux de la Communauté (*sangha*). Âjñâta Kaundinya sera le premier des Cinq à saisir la portée de l'Enseignement et, converti, il atteindra la qualité d'*arhant*, sainteté conduisant au *nirvâna*. Les quatre autres n'y parviendront que cinq jours plus tard, après avoir entendu un sermon sur l'impermanence et le «non-soi». Dès lors, la Communauté existe et l'Enseignement va s'adresser à tous.

La Roue de la Loi, symbole de la Doctrine et de son Enseignement dès le règne d'Açoka, a cessé d'être figurée en Inde à partir des Ve-VIe siècles. Curieusement, c'est seulement dans l'ancien royaume môn de Dvâravatî (Thaïlande) qu'elle devait conserver, du VIIe au IXe siècle, une exceptionnelle importance. Parfois de très grandes dimensions (jusqu'à près de deux mètres de diamètre), elle était érigée au sommet d'un pilier, généralement cantonnée de gazelles, allusion classique au premier sermon. Quelques Roues, dont celle-ci, et certains piliers portent des inscriptions qui font toutes référence à la Doctrine.

Ayant décidé de «s'attacher à la Loi qu'il avait lui-même découverte, pour l'honorer, la respecter et la servir», le Bouddha va, jusqu'à la limite de ses forces, dispenser l'Enseignement car nombreux sont ceux qui, «s'ils n'entendent pas prêcher la Loi», seront perdus. Il désigne ainsi ce qui constituera l'un des devoirs fondamentaux du bouddhisme : faire don de la Loi.

CHAPITRE IV
ENSEIGNEMENT ET PÉRÉGRINATIONS

Deux gestes assez différents évoquent une même réalité : l'Enseignement dispensé inlassablement par le Bouddha durant quarante-cinq années. A gauche, une peinture murale du Ve ou VIe siècle le représente, assis sur un lotus, dans l'attitude dite «de l'argumentation». Le bas-relief ci-contre (art d'Amarâvatî, IIIe siècle), lui fait esquisser, de la main droite, un geste d'accueil à l'intention de ses auditeurs.

Le Bouddha a maintenant atteint sa trente-sixième année. Durant quarante-cinq ans, jusqu'à sa Totale Extinction, il va parcourir, accompagné de disciples, le bassin moyen du Gange, quêtant la nourriture quotidienne et dispensant l'enseignement sans discrimination. Seules les saisons des pluies (*varsha*, de juin-juillet à octobre-novembre) interrompent les pérégrinations en raison des difficultés de déplacement; religieux et laïcs reçoivent alors, sur le lieu de retraite choisi, l'enseignement. C'est en ces occasions qu'ont été narrés les *Jâtaka* par le Bienheureux. Si la retraite sédentarisée, imposée par le climat, a donné à la vie monastique ses premiers cadres, il convient d'observer que, dès la fin de celle qui avait suivi l'acquisition de l'Eveil, le Bouddha avait invité les moines à se mettre en chemin, séparément, pour diffuser plus largement la Bonne Loi pour le bien «du plus grand nombre».

Le progrès des conversions

Les Cinq de l'«heureux groupe» avaient déjà opté pour la vie de moines errants lorsqu'ils connurent celui qui devait devenir le Bouddha. Le premier laïc converti et entré en religion fut Yaças, fils d'un trésorier de Bénarès déçu par le luxe et les plaisirs de son adolescence, qui s'enfuit pour «prendre refuge dans le Bouddha, la Loi et la Communauté». Après avoir recherché puis retrouvé leur fils parmi les moines, le père et la mère de Yaças deviennent les premiers adeptes laïcs (*upâsaka* et *upâsikâ*). La Communauté compte bientôt soixante moines.

Il n'est pas indifférent de constater que les deux premiers convertis, avant même la Prédication,

Ce bouvier et son troupeau (page de gauche), figurés sur une fresque d'Asie centrale, rappellent que l'Enseignement s'adressait à tous, l'unique problème étant qu'il soit compris.

Par l'instruction qu'ils reçoivent dès leur admission dans la Communauté et par la discipline de vie à laquelle ils s'astreignent, les moines sont particulièrement aptes à saisir la portée d'un enseignement qu'ils diffuseront à leur tour. Assis sur un lotus, entouré d'une aura flamboyante et nimbé, le Bouddha dispense l'Enseignement dans une attitude familière. Les moines ou les disciples sont souvent figurés, comme ci-dessous, en procession, mains jointes dans une attitude non de prière, mais de dévotion respectueuse.

étaient des marchands caravaniers dont la naissance indienne n'est même pas assurée. Yaças et ses parents, quoique fort riches, n'en sont pas moins des *vaiçya*, c'est-à-dire appartenant à la caste des gens du commun. Bientôt, l'adhésion du barbier Upâli, un *çûdra* (de la caste des serviteurs), futur grand disciple, prouvera combien le bouddhisme s'établit en marge du système des castes.

A la fin de la saison des pluies, tandis que les moines partent prêcher chacun de son côté, le Bouddha revient à Uruvilvâ. Chemin faisant, il convertit un groupe de trente jeunes fêtards en les invitant à «se chercher eux-mêmes». A Uruvilvâ, la conversion des trois frères Kâçyapa revêt, par sa portée et le nombre des convertis, une tout autre importance. Devant la succession des prodiges accomplis par le Bouddha, les conversions se multiplient; elles deviennent générales après l'audition du Sermon sur le Feu, prononcé près de Gayâ, sur la colline Gayâçîrsha : à travers lui, le Bouddha s'employa à montrer que tout dans le monde est embrasé par la passion, et que seul celui qui suit le chemin octuple peut atteindre la suprême

Les bannières de tissu, peintes de sujets édifiants, jouent un rôle important dans l'art bouddhique, que celui-ci relève de la tradition des anciens ou des écoles mahâyâniques. L'étoffe ci-contre, assez représentative de l'art de la Thaïlande du XIXᵉ siècle, figure le Bouddha dans le geste «qui apaise, qui rassure», dit aussi «d'absence de crainte», expression qui pourrait prêter à confusion puisque la crainte est un sentiment qu'un Bouddha ne peut éprouver en aucun cas... L'image centrale est encadrée par celles des deux grands disciples Çâriputra et Maudgalyâyana, toujours représentés à ses côtés en attitude d'adoration, symétriques et légèrement inclinés. Dans le ciel, deux divinités; elles sont toujours présentes, même quand on ne les voit pas. Dans la partie inférieure de la bannière, trois coupes et deux cierges sont disposés sur une table d'offrande. Le porc et le lièvre sont de probables références au cycle astrologique des douze animaux. L'ensemble de la composition figurerait l'hommage rendu dans un temple au Bouddha, à la Loi et à la Communauté, indissociable trilogie.

indépendance; l'ensemble des auditeurs aurait alors obtenu l'état d'*arhant*.

Les grands disciples

Lors de son premier passage à Râjagriha, Gautama avait promis au roi Bimbisâra de revenir pour lui communiquer la Vérité dès qu'il l'aurait découverte. Avec les moines, il se dirige donc vers la ville et s'arrête au sud-ouest, dans le Bois des Stipes (*Yashtivana*), lieu de son précédent séjour. Là, Bimbisâra les accueille, et les invite à venir le lendemain au palais pour y prendre leur repas. A l'issue du prêche, un grand nombre d'auditeurs, convertis, «entrent dans le courant» (*çrotâpanna*). Après le repas, le roi met à la disposition de Bouddha et de la Communauté le Bois des Bambous (*Venuvana*), où ils demeureront durant deux mois. Au cours de ce séjour, ayant eu connaissance de l'essence de la Doctrine, Çâriputra décide de se joindre à la

Importantes par la qualité des convertis – les trois frères Kâçyapa étaient des brâhmanes jouissant d'une grande notoriété – les conversions survenues à Uruvilvâ avaient aussi par leur nombre un caractère exceptionnel : selon les textes, les maîtres auraient entraîné avec eux entre 500 et 3 500 de leurs disciples. A gauche, cette copie d'une fresque du XIXe siècle à Bangkok représente les frères Kâçyapa.

A l'exception de Sânkâçya, plus loin au nord-ouest, tous les sites où se sont déroulés la vie et l'enseignement du Bouddha se trouvent dans le fertile bassin moyen du Gange, c'est-à-dire dans une contrée à peine plus vaste que le quart de la France actuelle, au demeurant aussi importante pour le brâhmanisme que pour le bouddhisme : le confluent du Gange, de la Yamunâ et de l'«invisible Sarasvatî» est défini le «lieu le plus sacré de tous».

Communauté, entraînant avec lui Maudgalyâyana. Tous deux avaient été jusque-là d'éminents disciples de l'un des principaux maîtres contemporains, Sañjayin, qu'ils s'efforcent en vain de rallier au Bouddha et à sa Doctrine. Premiers des grands disciples, ils forment le «principal couple d'auditeurs», bientôt rejoint par le brâhmane Pippali. Ce dernier, connu sous le nom de Mahâkâçyapa, pratiquait depuis longtemps la continence; il fut ordonné au Venuvana immédiatement après s'être spontanément prosterné aux pieds du Bouddha qui n'eut à lui donner que trois brefs enseignements. Il bénéficia d'une particulière bienveillance, signe annonciateur du rôle prépondérant qu'il aurait à jouer par la suite.

Les conversions deviennent alors si nombreuses à Râjagriha que les Magadhiens, redoutant leurs conséquences sociales, s'en alarment et blâment les moines. Le Bouddha calme les uns et les autres, en assurant que le trouble sera de courte durée et que, de toute manière, nul n'est contraint à rejoindre la Communauté.

Voyage à Kapilavastu

Quoique le voyage à Kapilavastu ne soit pas signalé par tous les textes, il aurait été accompli à la demande expresse du roi Çuddhodana qui, ne pouvant plus ignorer la renommée de son fils, lui a déjà dépêché vainement neuf messagers. Mais ceux-ci, pris tour à tour de ferveur religieuse, choisissent, avec leur suite, de se joindre à la Communauté. Un dixième envoyé arrive à Râjagriha, c'est Udâyin, fils du chapelain royal et compagnon de jeunesse du Bienheureux. Lui aussi reçoit l'ordination, mais le Bouddha accepte, à sa requête, de faire le voyage vers Kapilavastu, sachant sa famille désormais prête à l'entendre.

Différemment représentés dans les divers arts bouddhiques (ci-dessus une figure sculptée de l'école de Sârnâth, ci-contre le détail d'une peinture tibétaine), nimbe et aura sont en relation directe avec les manifestations lumineuses produites par la personne du Bouddha dans toutes les grandes occasions.

Parmi les 32 marques de l'Homme éminent, deux de celles concernant les mains et les pieds sont, dans les listes sanskrites, la «marque d'une roue» et des «membranes interdigitales» (page de gauche), souvent interprétées comme de simples réseaux relatifs à la chiromancie.

Entrepris un peu moins d'un an après l'acquisition de l'Eveil, à la pleine lune de février-mars, ce voyage dure deux mois ; «vingt mille moines» accompagnent le Bouddha. Le roi s'est proposé de se porter à la rencontre de son fils, mais il y renonce à la vue des moines mendiants auxquels son fils est semblable, ce qui blesse son orgueil. Il revient néanmoins sur sa décision après qu'Udâyin lui a fait comprendre qu'il est tout aussi glorieux d'être le père d'un Bouddha que d'un monarque universel, comme il l'avait souhaité. Les moines s'installent hors de la ville, comme il sied à des religieux, dans le Parc des Banyans. Par fierté de caste, les Çâkya voudraient ne pas s'incliner devant un moine errant, fût-il leur propre parent. Aussi, pour ne pas infliger au roi son père une inutile épreuve, le Bouddha décide alors d'apparaître sur un promenoir aérien, permettant aux Çâkya de lever leurs regards au lieu de s'abaisser devant lui. Dans le même temps, il leur révèle ses pouvoirs en accomplissant le prodige des «doubles apparitions».

Dès le lendemain, en dépit de la quête quotidienne de nourriture du Bouddha, qui scandalise ses proches, les principaux Çâkya se convertissent, à commencer

Au Ier siècle av. J.-C., le *stûpa* de Sâncî (ci-dessus) n'évoque la présence du Bouddha que par des symboles : trône sous un arbre, Empreintes de ses pieds, Roue de la Loi... Le contexte figuré permet d'identifier l'événement représenté. A gauche, c'est ainsi l'apparition du promenoir magique, au-dessus du trône, en présence du roi Çuddhodana et de sa suite, à Kapilavastu. A droite, c'est la crue de la Nairañjanâ : victimes de l'inondation, les frères Kâçyapa, sur une barque, ont abandonné les instruments du sacrifice, qui dérivent au fil de l'eau ; le Bouddha marche sur les flots ; les disciples, admiratifs, se convertissent en masse.

par le roi Çuddhodana, son père. Suit Nanda, son demi-frère, détourné par le Bouddha du mariage qu'il allait contracter et, du même coup, du trône auquel il était promis. Il rejoint la Communauté pour être ordonné une semaine plus tard, en même temps que Râhula, le fils du Bouddha, alors presque âgé de sept ans, que sa mère a imprudemment engagé à réclamer «son héritage» à son père. Durant ce séjour, «80 000 Çâkya, un par famille», auraient été convertis.

C'est durant leur sommeil que celui qui était devenu le Bouddha omniscient avait quitté son épouse et son fils nouveau-né. Que l'épouse n'ait, peut-être, pas perdu tout espoir de reconquérir son époux, ou qu'elle ait, plus simplement, tenu à lui présenter son fils maintenant âgé de six ans, elle poussa celui-ci vers son père pour lui réclamer «son héritage», c'est-à-dire la confirmation de son droit au trône. Mais pour le Bouddha qui avait renoncé à tout sauf à la découverte de la Bonne Loi, il ne pouvait y avoir d'autre héritage que son enseignement. Conquis par son père, Râhula le suivit à l'ermitage où il fut ordonné par les deux grands disciples.

Le don de l'ermitage de Çrâvastî

Sur la route du retour vers Râjagriha, à Anûpiya en pays Malla, six princes Çâkya et leur barbier Upâli rejoignent la Communauté. Parmi les princes figurent des cousins du Bouddha, dont Ânanda, futur assistant du Bouddha, et Devadatta. L'ordination des uns et des autres a lieu en même temps.

Au cours de ce bref séjour à Râjagriha, un riche marchand, connu surtout sous le nom d'Anâthapindada, s'étant converti après avoir vu et

entendu le Bouddha, sollicite sa venue à Çrâvastî. Le Bienheureux y consent à l'unique condition que les religieux et lui-même puissent disposer d'un lieu de séjour proche mais hors de la ville.

A Çrâvastî, capitale du Koçala, règne le roi Prasenajit; beau-frère du roi Çuddhodana, il honorera toujours le Bouddha et lui manifestera une amitié sans faille encore que sa conversion ne paraisse pas établie avec une entière certitude. Ainsi le choix, l'acquisition et l'aménagement du premier ermitage de Çrâvastî, le *Jetavana*, ou «Bois (du prince) Jeta», seront-ils entièrement

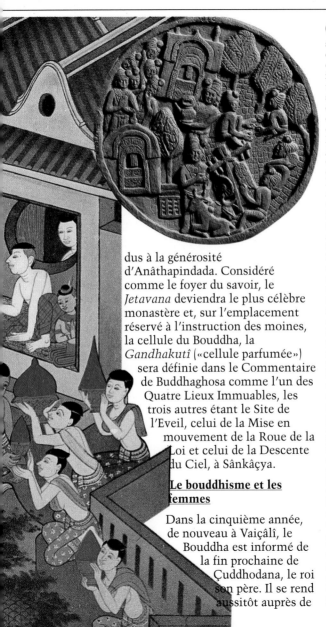

Çrâvastî, capitale du Koçala est l'une des six plus importantes cités de l'Inde au temps du Bouddha. Elle ne fut fortifiée qu'un peu plus tard (en page de gauche, ses ruines). Lieu où se déroulèrent nombre de grands événements de la carrière du Bouddha, le parc du *Jetavana*, acquis en échange d'une quantité d'or exorbitante par le marchand Anâthapindada, devait devenir le séjour le plus important du Maître et de sa Communauté. A gauche et ci-contre, une peinture thaï du XIXe siècle et un médaillon sculpté sur un pilier de Bharhut au IIe siècle av. J.-C. évoquent tous deux la même scène : les gens du donateur apportant les innombrables pièces d'or pour le paiement du parc. Les textes parlent abondamment de ce haut lieu du savoir, de sa consécration et des diverses constructions qui y furent élevées. L'habitude s'imposa, dans les contrées bouddhiques, de désigner «Jetavana» chacun des monastères les plus importants pour la formation des moines et l'édification des fidèles. C'est ainsi qu'au Cambodge Angkor Vat, le célèbre temple vishnuite devenu vers le XVe siècle un monastère bouddhique éminent, devait longtemps porter le nom de *Jetavana*...

dus à la générosité d'Anâthapindada. Considéré comme le foyer du savoir, le *Jetavana* deviendra le plus célèbre monastère et, sur l'emplacement réservé à l'instruction des moines, la cellule du Bouddha, la *Gandhakutî* («cellule parfumée») sera définie dans le Commentaire de Buddhaghosa comme l'un des Quatre Lieux Immuables, les trois autres étant le Site de l'Eveil, celui de la Mise en mouvement de la Roue de la Loi et celui de la Descente du Ciel, à Sânkâçya.

Le bouddhisme et les femmes

Dans la cinquième année, de nouveau à Vaiçâlî, le Bouddha est informé de la fin prochaine de Çuddhodana, le roi son père. Il se rend aussitôt auprès de lui, «s'élançant dans les airs», pour lui donner un dernier enseignement. (Le bouddhisme insiste toujours sur l'importance des devoirs filiaux. Les parents sont sacrés et les enfants doivent les honorer par-delà leur mort. La vie de famille est aussi exaltée, et les devoirs des maris envers leurs épouses sont précisément affirmés.) Le roi Çuddhodana peut donc mourir, premier laïc ayant obtenu l'état de «perfection» (*arhattva*).

Mahâprajâpatî, cette tante du Bouddha qui l'avait élevé, aurait alors demandé à être admise dans la Communauté. Elle commence par essuyer un refus, le brâhmanisme n'admettant pas, en principe, l'accès des femmes au renoncement et le Bouddha n'ayant jamais souhaité heurter ses contemporains. Il faut donc qu'Ânanda intervienne, rappelant son dévouement passé, pour qu'il se laisse fléchir, ouvrant la Communauté aux femmes, mais en les astreignant à une règle plus étroite et en les plaçant sous l'autorité des moines. Tandis que le Bouddha paraît si soucieux de ses devoirs envers ses parents, on peut s'étonner de sa froideur à l'égard de cette tante qui l'a élevé... Mais l'opposition n'est qu'apparente et reflète surtout son respect de l'ordre établi. L'attitude bouddhiste à l'égard des futures religieuses répondra, avant tout, au souci de respecter la tradition indienne qui veut que la femme vive toujours dans la dépendance d'un membre masculin de sa famille. Mais peut-être aussi des souvenirs personnels du Bouddha, particulièrement liés aux assauts de Mâra, lui faisaient-ils redouter les risques que la «magie des femmes» pouvait représenter pour la communauté naissante.

Si les femmes, par la séduction qu'elles peuvent exercer du fait de leur nature même, risquent d'être un danger pour les «renonçants» en quête de salut, il arrive aussi, comme le prouvent les attentats perpétrés contre le Bouddha, qu'elles soient les malheureux

instruments de machinations ourdies par des hommes. Le Bodhisattva, au cours de ses Existences antérieures, est né à diverses reprises dans des conditions féminines.

Le «grand prodige magique» de Çrâvastî

Dans la sixième année après l'Eveil, le Bouddha se trouve de nouveau à Çrâvastî; y sont aussi les six maîtres de doctrines plus ou moins rivales, assez bien connus par d'autres sources, que l'on confond sous la désignation d'«hétérodoxes». Les progrès du Bouddha ne peuvent pas les laisser indifférents et sans doute ne se sont-ils pas toujours montrés loyaux envers lui. Aussi une confrontation apparaît-elle nécessaire; elle est envisagée dans un débat public en présence du roi Prasenajit. Et, bien que le Bouddha ait récemment interdit aux moines de recourir aux pouvoirs magiques pour convertir, les invitant à n'user dans ce but que de compassion et de sagesse, un «grand prodige magique» suit la discussion, lequel répète, en l'amplifiant, celui accompli quelques années plus tôt à Kapilavastu.

Diversement rapporté par les textes, il garde souvent l'appellation de «prodige du manguier», soit parce qu'un manguier en a fourni le cadre, soit parce qu'il aurait surgi miraculeusement par la volonté du Bienheureux. Ce dernier accomplit les «miracles jumeaux» (avec production alternée de feu et d'eau) puis crée et multiplie ses propres images, dans les quatre attitudes : debout, marchant, assis et couché. A l'issue de cette démonstration, la déroute des «hétérodoxes», probablement hâtée par l'intervention de forces surnaturelles, est complète et l'un d'eux, Pûrana, se suicide par noyade. Le prodige de Çrâvastî appartient à la série des quatre grands miracles, dont la liste s'ajoute à celle des quatre miracles primordiaux (ultime Naissance, acquisition de l'Eveil, Mise en mouvement de la Roue de la Loi et Totale Extinction).

Séjour et enseignement au ciel d'Indra

La visite au ciel d'Indra, chef des dieux Trente-Trois (par référence à leur nombre), constitue un devoir pour tous les Bouddha. Le Bienheureux s'y rend, après avoir accompli le «grand prodige magique» à Çrâvastî, pour y passer trois mois de la saison des pluies (la septième après l'Eveil) en enseignant la Doctrine «pure et simple» à sa mère, re-née parmi les dieux sans avoir pu bénéficier de l'enseignement. Un nombre considérable de divinités se rassemble autour du Bouddha qui enseigne, assis sur le propre trône d'Indra.

Si l'ascension au ciel d'Indra paraît n'avoir eu nul témoin, le retour se serait opéré, à la fin de la saison des pluies,

Le «grand prodige magique» accompli à Çrâvastî en présence du roi Prasenajit choisi comme arbitre devait permettre de confondre les chefs des sectes rivales, «hétérodoxes», hostiles aux succès du Bouddha et de son Enseignement. Le vainqueur de ce genre de discussions publiques s'est, de tout temps, vu investi d'une autorité accrue. Comme il s'agit de frapper les foules, les débats oratoires ne sauraient suffire. Aussi, et bien qu'il y ait toujours répugné, le Bouddha devra-t-il faire la démonstration des pouvoirs surnaturels qu'il maîtrise. Il s'agira d'abord des miracles «jumelés» consistant à faire jaillir, ensemble puis en alternance, de l'eau de ses pieds et des flammes de ses épaules (miracle retracé par la sculpture ci-contre). Ensuite, ce sera le prodige du «manguier», dans le feuillage duquel apparaîtront ses propres images, symétriques, dans les quatre attitudes retenues par l'iconographie : debout, marchant, assis et couché. A gauche, cette peinture thaïe datée de 1734 n'a figuré que trois de ces attitudes.

devant l'une des portes de Sânkaçya, en présence d'une foule immense. Au moment où le Bienheureux, accompagné de divers dieux et descendant un escalier de construction divine, posa le pied sur le sol, toute l'assemblée obtint la claire vision de l'ensemble des «mondes visibles», depuis le troisième étage du monde de méditation de Brahmâ jusqu'à l'enfer Avîci, le plus profond... En dépit de son caractère hautement mythique, le Prodige, qui prend place parmi les huit grands miracles, est l'un de ceux qui ont été rapportés avec le moins de divergences par l'ensemble des textes.

Les derniers sermons

Le retour du ciel d'Indra semble avoir marqué, pour les contemporains, le moment où le Bouddha, la Doctrine et la Communauté jouissaient de la plus haute autorité. Il ne pouvait qu'en résulter des difficultés nouvelles, reflétant la jalousie des uns ou des autres.

Tout au long de quelque trente-sept années qui se signalent souvent davantage par des turpitudes que par d'évidents progrès de la communauté des fidèles, certaines périodes paraissent à tel point dépourvues d'événements notoires que quelques auteurs ont pu s'interroger sur la durée réelle de la Dernière Existence, et songer à un allongement, intentionnel, d'une quinzaine d'années pour atteindre la «durée minima d'une pleine vie humaine». Mais l'absence de faits marquants n'a rien de vraiment surprenant. Les occasions de conversions retentissantes ne sont pas infinies, moins encore celles d'accomplir des miracles. Comme il eût été aisé d'inventer quelques anecdotes merveilleuses, nous considérons, rejoignant J. Filliozat, que le silence des textes témoigne de la probité de leurs auteurs.

Censé siéger sous l'arbre merveilleux planté devant l'assemblée des dieux, le Bouddha révèle à son auditoire la Bonne Loi qu'il n'avait pu, jusque-là entendre (ci-dessus, bas-relief de Bharhut, IIe siècle av. J.-C.).

Ainsi, on ne signalera que quelques épisodes, deux d'entre eux prenant d'ailleurs place parmi les grands miracles. D'autres seraient révélateurs de la noirceur des desseins des sectes rivales. Peu après le retour à Sânkaçya, le Bouddha séjournant alors au *Jetavana*, Ciñcâ, adepte d'une secte errante, fut poussée par ses maîtres à le compromettre en se prétendant enceinte de ses œuvres. Mais, la malheureuse se

La Descente du Ciel par un triple escalier merveilleux fut un sujet de prédilection pour les peintres de la Péninsule indochinoise qui se sont complu à exalter la sérénité de Bouddha et l'allégresse pleine de ferveur des dieux.

voulut trop convaincante; son astuce tourna à sa confusion et, alors qu'elle fuyait le *Jetavana* sous les huées, la terre s'ouvrit sous ses pas, la précipitant dans l'enfer le plus profond. Plus tard, toujours au *Jetavana*, une machination analogue, plus machiavélique encore, fut ourdie, prenant cette fois pour instrument Sundarî («la Belle»), dont la dépouille mortelle fut retrouvée, enterrée, près de la cellule du Bouddha, la *Gandhakutî*; les auteurs du complot, cependant, ne parvinrent pas à faire accuser le Bienheureux, et leur crime fut puni par la justice des hommes.

Le miracle de la forêt de Pârileyyaka

Dans la septième année après l'Eveil, deux conversions surtout montrent comment la Loi

La retraite du Bouddha dans la forêt de Pârileyyaka, près de Kauçâmbî, tient une place importante dans la dévotion du Sud-Est asiatique (à droite). L'aide et la vénération prodiguées au Bouddha par un éléphant solitaire et un singe valurent à ces deux êtres nés dans la «condition infortunée» d'animaux – infortunée parce qu'ils n'ont pas la faculté de discerner le bien du mal – de renaître presque immédiatement au ciel d'Indra, qui leur ouvrait dès lors la voie du salut.

Qu'un enfant, n'ayant rien d'autre à offrir au Bouddha quêtant sa nourriture quotidienne, lui fasse don d'une poignée de poussière peut paraître dérisoire, sinon choquant. Les sculpteurs d'Ajantâ ont néanmoins jugé la scène édifiante. Car, pour le bouddhisme, l'intention dans laquelle est décidé un acte a toujours plus d'importance que ses résultats, souvent aléatoires.

Transitoires, les enfers sont, pour le bouddhisme, des sortes de purgatoires où les êtres, avant de renaître, recueillent une rétribution immédiate des fautes commises par violation consciente des préceptes moraux. Leur figuration (ci-contre) incite les fidèles à la vigilance morale.

s'adresse à tous et combien grand est son pouvoir, même sur les êtres les plus vils : celle, d'abord, du Yaksha Âlavaka, ogre aux immenses pouvoirs qui terrorisait toute une ville, puis, quatre ans plus tard, celle du bandit Angulimâla («guirlande de doigts coupés»), fils dévoyé d'un brâhmane passé au service d'un maître pervers,

Au cours de la dixième année, s'étant retiré, seul, dans la forêt de Pârileyyaka, le Bouddha put y apprécier la compagnie et l'assistance dévouées d'un éléphant solitaire et d'un singe. Une grande popularité est attachée à ce prodige, du fait qu'il révèle à la fois l'intérêt de la retraite solitaire en forêt et le bien que procure à tout être la fréquentation du Bouddha.

Les forfaits de Devadatta

C'est au cours de la trente-septième année après l'Eveil, vers le moment où meurt le roi Bimbisâra, que Devadatta pense pouvoir enfin se débarrasser du Bouddha, ce cousin jalousé à travers tant d'existences et maintenant haï. Il tente d'abord de s'imposer à la tête de la Communauté «en raison du grand âge» du Bouddha qui, connaissant trop bien les pensées de tous les êtres, ne saurait y consentir. Il décide donc d'avoir recours à des moyens plus expéditifs : l'assassinat, par des «tueurs à gages», mais, touchés par la vue du Bienheureux, ceux-ci se convertissent ; l'accident provoqué, un rocher roulant sur les pentes du Gridhrakûta («Pics des Vautours») au moment du

L'artiste tibétain donne (ci-dessus) une version qui se veut convaincante de la subjugation de l'éléphant Nâlâgiri, dompté par les lions jaillis des doigts du Bouddha. C'est oublier le pouvoir infini de sa bienveillance, si évident sur le relief d'Amarâvatî (page de droite, en haut), où contrastent la terreur suscitée par l'éléphant «tueur d'hommes» et sa soumission à la sérénité du Maître.

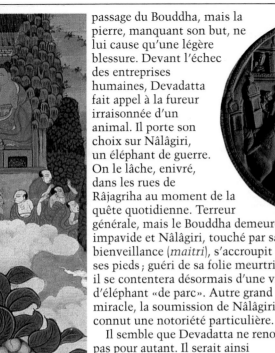

passage du Bouddha, mais la pierre, manquant son but, ne lui cause qu'une légère blessure. Devant l'échec des entreprises humaines, Devadatta fait appel à la fureur irraisonnée d'un animal. Il porte son choix sur Nâlâgiri, un éléphant de guerre. On le lâche, enivré, dans les rues de Râjagriha au moment de la quête quotidienne. Terreur générale, mais le Bouddha demeure impavide et Nâlâgiri, touché par sa bienveillance (*maitri*), s'accroupit à ses pieds ; guéri de sa folie meurtrière, il se contentera désormais d'une vie d'éléphant «de parc». Autre grand miracle, la soumission de Nâlâgiri connut une notoriété particulière.

Il semble que Devadatta ne renonça pas pour autant. Il serait ainsi responsable de la création d'un schisme, dont des traces subsistaient encore au temps où les pèlerins chinois visitèrent l'Inde. Quoi qu'il en soit, au terme d'une dure et longue maladie, il devait renaître «dans l'enfer Avîci».

Plus préoccupés de plastique que de spiritualité, les artistes du Gandhâra furent séduits par la scène (cidessous) de la rencontre entre le Bouddha et les tueurs stipendiés par Devadatta. Et, bien qu'on puisse regretter la présence du garde du corps armé de foudre que le sculpteur a cru devoir faire figurer à la gauche du Bouddha, c'est manifestement à son ascendant personnel que cèdent les intentions meurtrières.

G.12
AR3280

Le Bouddha a atteint la dernière année de son ultime existence. Sachant sa fin proche, il s'emploie à poursuivre l'Enseignement, à conseiller les uns et les autres, en particulier la Communauté, qui bientôt sera privée de son guide. «Me voici devenu un vieillard débile; je suis au bout du chemin; [...] soyez à vous-mêmes votre recours; n'ayez d'autre flambeau que la Loi, d'autre recours que la Loi.»

CHAPITRE V
LA GRANDE TOTALE EXTINCTION

Sous la voûte des arbres *çâla* fleuris spontanément, le Bouddha s'est étendu «en pleine conscience» en présence de disciples et de dieux. Et pour la dernière fois son corps s'entoure d'une aura de cinq couleurs pouvant évoquer l'arc-en-ciel : l'orangé, le blanc, le rouge, le jaune et le bleu, qui apparaîtront bien plus tard sur l'étendard bouddhique.

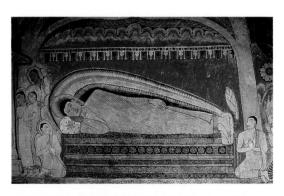

En présence du Bouddha, Prasenajit, roi du Koçala, commence par se prosterner devant lui : on ne saurait plus clairement reconnaître la supériorité de la dignité spirituelle sur le pouvoir monarchique. Lié au Bienheureux par une profonde amitié et sans doute converti, il multiplia les dons en sa faveur, prenant volontiers son avis, même sur les affaires du royaume.

Peu avant sa mort, le Bouddha, visitant Vaiçâlî, se vit offrir un repas par la courtisane Âmrapâlî. Pour accepter son invitation, il dut décliner celle des princes gouverneurs de la ville, soulignant ainsi, une fois de plus, que la valeur du mérite ne dépendait pas de la condition du donneur. Plus tard, convertie par un sermon de son fils devenu un moine éminent, Âmrapâlî entra dans la Communauté des femmes où elle aurait atteint l'état d'*arhant*.

Les dernières pérégrinations

Serviteur infatigable de la Loi, le Bouddha multiplie ses déplacements en dépit du déclin de ses forces. Quittant Rajâgriha, il entreprend de se rendre, avec un important groupe de moines, à Pataliputra où débutent des travaux de fortification, et dont il prédit la grandeur prochaine; il y vante à la population les bienfaits de la moralité. Puis, en quatre étapes, le groupe gagne Vaiçâlî, et accepte de la courtisane Âmrapâlî l'offrande d'un repas et le don de son parc. Le Bouddha et Ânanda se rendent seuls, ensuite, au Venugrâma («village des bambous») pour la retraite de la saison des pluies. Gravement malade, le Bouddha, n'ignorant plus l'imminence de sa fin, révèle alors à Ânanda que la Communauté ne devra désormais s'appuyer que sur la Loi.

Vers ce moment, meurent les deux grands disciples Çariputra et Maudgalyayana : le premier au cours d'une visite que, malade, il faisait à sa mère; le second, quinze jours plus tard, victime d'un guet-apens attribué aux «hétérodoxes»; il aurait trouvé la force de se traîner jusqu'auprès du Bouddha pour expirer à ses pieds, assuré alors d'entrer dans le *nirvâna*.

«Et la terre trembla»

De passage au Câpâlacaitya, lieu vénéré de Vaiçâlî, le
Bienheureux aurait suggéré à Ânanda de lui demander
de prolonger son existence «jusqu'à la fin de la
période cosmique». Mais Ânanda, méditant peut-être,
ne sut pas saisir l'occasion à temps et Mâra en profita
pour rappeler au Maître sa promesse d'«entrer dans le
nirvâna lorsque la Communauté serait constituée et
instruite». Dans le moment même, «en pleine
conscience et connaissance, le Bienheureux rejeta
"ses structures vitales" et aussitôt la terre trembla»...

Troublé, Ânanda s'enquiert de la cause et, l'ayant
apprise, en éprouve d'autant plus de tristesse que son
manque d'attention, ou d'intuition, lui sera reproché.
Les moines, convoqués dans Vaiçâlî, y sont une
dernière fois exhortés à pratiquer toute la doctrine
qui leur a été enseignée, afin que la religion vive
longtemps. A la fin de la saison des pluies, le
Bouddha, accompagné d'Ânanda et de quelques
moines, reprend sa marche et passe par divers villages.

Le repas de Cunda

Arrivés à Pâpâ, le Bouddha et ses compagnons font
halte dans une plantation de manguiers
et le propriétaire, Cunda, les invite
pour le repas quotidien. Il leur
fait servir, spécialement à
l'intention du Bienheureux,
quelques mets

succulents dont un «régal de porc», qui paraît avoir
réveillé et accru le mal dont souffrait le Maître.
Encore que nombre d'auteurs aient cru devoir
s'interroger sur la naturelle réelle du «régal» mis
en cause, et qui a incontestablement déclenché
un événement aussi attendu que redouté par la
Communauté, on retiendra surtout que le Bouddha
a tenu à disculper Cunda de toute responsabilité en
insistant sur le caractère hautement méritoire de son
don. En dépit de l'aggravation de son état, il ne tarde
pas à repartir, désireux de rejoindre au plus vite
Kuçinagara, fixé comme but de son ultime voyage.

De Pâpâ à Kuçinagara

La dernière étape, une trentaine de kilomètres sans
doute, sera couverte au prix de douloureux efforts.
Environ à mi-chemin, le Bouddha s'assied au pied d'un
arbre; comme il souhaite se désaltérer, il demande
à Ânanda de puiser de l'eau au ruisseau
                    proche, la Kakushthâ,
                    troublée

L'artiste thaï a
représenté (ci-
contre) l'épisode du
«régal de porc» offert
par le forgeron Cunda,
en reprenant l'usage
local de sa préparation :
le porcelet est rôti à la
broche. Mais il a jugé
bon de souligner
l'importance de
l'événement par la
présence d'une divinité
musicienne et même
d'Indra, reconnaissable
à sa carnation sombre.

par le passage récent d'un long convoi de chariots. Par le pouvoir du Bienheureux, le courant retrouve instantanément sa limpidité.

Vers ce moment, un prince Malla, Putkasa, disciple de l'un des premiers maîtres de Gautama, faisant route vers Pâpâ, s'arrête auprès de lui. Il reçoit un enseignement, se convertit, et offre au Bouddha deux vêtements «couleur d'or». Après son départ, Ânanda constate que «l'étoffe placée contre le corps du Bienheureux, semble avoir perdu son éclat». Il demande, ébahi, la raison de ce prodige, et s'entend répondre qu'il peut se produire à deux occasions : la veille de l'Acquisition de l'Eveil par un Bodhisattva et la veille de la Totale Extinction d'un Bouddha. Il semble que ce soit un peu plus loin, dans la même rivière, que le Bouddha ait pris un bain qui ranima ses forces et l'aida à poursuivre un peu sa route. De nouveaux accès de faiblesse l'arrêtèrent encore en divers lieux (certains textes en mentionnent vingt-cinq) avant de franchir une autre rivière, la Hiranyavatî. La traversée de celle-ci marque l'arrivée à Kuçinagara, capitale de la contrée gouvernée par les Malla; le petit groupe, se dirigeant au sud-ouest, vers Upavartana, fit halte dans un bois d'arbres *çâla*.

D'une manière très décorative, la halte du Bouddha près de la Kakushthâ est illustrée en narration continue comme une scène se déroulant dans la Thaïlande du début du XIXe siècle (à gauche). Elle constitue, du même coup, un excellent document sur la vie quotidienne en milieu rural thaï. Des conventions analogues apparaissent dans la représentation, sensiblement contemporaine, de la scène où Ânanda offre respectueusement au Bouddha l'eau qu'il est allé quérir à sa demande (ci-dessous).

«Tout ce qui est composé est périssable»

Sitôt arrivé, le Bouddha fait préparer par Ânanda une couche entre deux arbres *çâla* jumeaux. C'est là qu'il va se coucher, «en pleine connaissance», sur le côté droit, allongé tête au nord et faisant face à l'ouest. Il ne se relèvera plus mais consacre encore les deux premières veilles de la nuit à instruire ou consoler les uns et les autres.

A Ânanda, qui ne maîtrise pas son chagrin et s'étonne du choix d'un site aussi modeste pour un événement aussi important, il précise qu'au contraire cette cité, qu'il a déjà visitée, qui compte tant d'adeptes de la Doctrine, fut aussi sa capitale, dans des temps anciens, alors qu'il était monarque universel. Renchérissant, certains textes ajoutent que ce serait là aussi que le Bouddha Pushya, septième prédécesseur de Gautama, «obtint le *nirvâna*». Suivent des paroles de consolation pour Ânanda auquel le Bouddha, soulignant son dévouement, promet l'obtention prochaine de l'état d'*arhant*.

Les Malla, avertis de l'imminence de la fin du Bienheureux, arrivent en foule pour lui rendre hommage. Vient aussi l'ascète Subhadra qu'Ânanda voudrait dissuader d'importuner le Maître «si fatigué». Ce dernier l'écoutera pourtant, lèvera ses doutes, et converti, Subhadra aurait bénéficié d'une ordination immédiate. Précisant encore quelques points de discipline intéressant la Communauté, le Bouddha engage les moines présents à demander tous les éclaircissements qu'ils souhaiteraient concernant la

Les images couchées du Bouddha ne concernent pas toutes sa Grande Totale Extinction. En page de gauche, en haut, même très stylisés, les arbres au-dessus du Bouddha permettent d'identifier la scène comme étant la halte dans le bois des manguiers. En dessous, au cours de sa dernière retraite à Beluva, près de Vaiçâlî, le Bouddha, déjà très malade, donne ses ultimes instructions.

Informés par Ânanda du décès du Bouddha, les Malla de Kusinagara accourent en procession (ci-dessus). Ici encore, l'œuvre reproduite est un précieux document sur le cérémonial funèbre thaï au début du XIXᵉ siècle.

Doctrine ou la Discipline. Mais chacun garde le silence à l'étonnement d'Ânanda; le Bouddha, s'adressant à tous, prononce ces paroles qui seront les dernières : «Tout ce qui est composé est périssable; œuvrez avec diligence à votre propre salut.»

La Grande Totale Extinction

Au cours de la dernière veille de la nuit, le Bouddha parcourut tout un cycle de méditations l'amenant, par paliers successifs, jusqu'au «domaine de la cessation de la conscience et du sentiment»; «immédiatement après il s'éteignit».

Au jour de son quatre-vingtième anniversaire (selon la tradition pâli), le quatrième des grands miracles s'est accompli et, comme lors de l'Ultime Naissance, du Complet Eveil et de la Mise en mouvement de la Roue de la Loi, la terre trembla, les dieux se manifestèrent et les arbres fleurirent spontanément. Parmi la foule présente, ceux qui avaient atteint l'état d'*arhant* ne montrèrent que leur recueillement, mais ceux qui étaient encore «sur le chemin» ne purent contenir leur douleur : «Trop tôt le Bienheureux a expiré, trop tôt le "Bien-allé" [*Sugata*] a expiré, trop tôt "l'œil du monde" s'est éteint.»

Bien que de grands disciples et ceux qui avaient atteint l'état d'*arhant* aient déjà obtenu le *nirvâna* quand intervient le décès de Bouddha, son *Mahâparinirvâna*, sa «Grande Totale Extinction», est un

achèvement. Etymologiquement, le *nirvâna* est l'extinction, mais aussi le calme, la paix. Etat sans origine, immuable, inaltérable, impérissable, ce n'est pas un anéantissement, mais une non-naissance, un non-devenir, non confectionné, non composé. Ne pouvant être obtenu qu'après l'extinction du Soi, c'est un état éternel, sans localisation; au-delà de la logique et du raisonnement, il ne peut qu'être évoqué, les mots étant impropres à le décrire.

Les funérailles

Les rites funèbres étant affaire de laïcs et non celle de la Communauté, ce sont les Malla

La grande statue debout (page de gauche) fait partie d'un ensemble qui débute par deux images assises du Bouddha, l'une à l'intérieur d'une grotte, l'autre à l'air libre, et s'achève par la colossale image du Bouddha couché de Gal Vihâra (ci-contre). Longtemps ce personnage dressé a été identifié à Ânanda, jusqu'au moment où on s'est aperçu que sa tête portait un *ushnîsha*, la protubérance crânienne qui caractérise strictement et uniquement le Bouddha. Outre que la position debout eût été peu respectueuse de la part d'Ânanda, il a fallu admettre que l'image, par son attitude, ne pouvait représenter que le Bouddha contemplant l'Arbre de l'Eveil. Toutes ces statues étaient primitivement abritées par des constructions en matériaux légers dont ne subsistent de nos jours que des traces.

Image du *Mahâparinirvâna*, cet autre Bouddha couché (page de gauche) est le sujet d'une enluminure placée au centre d'un manuscrit sur feuille de palmier, au Bihar, au début du XIIe siècle. Sous le Bouddha allongé, on aperçoit les religieux qui manifestent leur tristesse.

Réduits à l'essentiel, les faits liés aux funérailles du Bouddha, sont sublimés par la composition ascendante de cette peinture tibétaine (ci-contre) qui, dominée par le *stûpa*, affirme le triomphe que signifie, en fait, la Grande Totale Extinction du Bienheureux.

❝Mahâkâçyapa possédait une grande puissance prodigieuse et il était doué des quatre puissances surnaturelles. Ainsi, quand il eut prononcé les stances voulues, le bûcher du Bouddha s'enflamma de lui-même sans qu'on y mît le feu : « Maintenant un feu ardent brûle, dont les flammes sont si intenses qu'il est difficile de l'arrêter. Par cette incinération, le corps sera sans doute consumé entièrement.» La divinité des arbres *çâla* était alors à côté du bûcher funèbre du Bouddha. Ayant une foi sincère en la Voie du Bouddha, elle éteignit soudain le feu du bûcher en utilisant sa force surnaturelle. Les Malla se dirent alors mutuellement : «Cueillons toutes les fleurs parfumées qui se trouvent de tous côtés dans un rayon de vingt lieues autour de Kuçinagara, apportons-les et faisons-en offrande au corps du Bouddha.»❞
André Bareau,
En suivant Bouddha

qui les accomplirent, avec une pompe particulière. Durant sept jours se succédèrent hommages, processions avec musique, danses, offrandes de fleurs et de parfums. Lavé, enveloppé de nombreux linceuls, le corps du Bienheureux fut placé, baigné d'huile, dans un coffre de métal, urne qui

servit à son transport jusqu'au lieu de la crémation.

Nombre d'auteurs se sont étonnés de ces dispositions qui évoquent directement celles adoptées pour les obsèques des souverains pouvant prétendre à la royauté universelle. C'est oublier que le Bouddha s'est toujours voulu le «serviteur» du *Dharma*, cette Loi qu'il avait découverte et qu'il se devait de faire rayonner dans le monde. Dans l'optique du temps, ce devoir est celui d'un souverain. Il l'affirme dans les stances à Çaila et le *Lalitavistara* le confirme : «Exerçant l'empire sur toutes les lois, à cause de cela, le vainqueur [*Jina*], seigneur de la Loi, [...] après avoir tourné la Roue de la Loi est appelé Roi de la Loi»...

C'est donc ainsi que le Corps aurait été conduit en procession jusqu'au lieu de la crémation. Là le bûcher

Visitant Kuçinagara (ci-dessus) au début du VIIe siècle, le pèlerin chinois Xuanzang y dénombra neuf *stûpa* : certains commémoraient des vies antérieures du Bouddha, d'autres étaient d'inspiration mahâyânique, l'un d'eux avait été édifié après le *nirvâna* de Subhadra, le dernier des moines ordonnés par le Bienheureux. Sur le lieu où le bûcher s'était spontanément enflammé, un *stûpa* avait été construit par le roi Açoka. Enfin, une plaque de cuivre gravée d'inscriptions, assez récemment découverte, provient du *stûpa* édifié sur le lieu du décès.

À la fin du XIXe siècle, une peinture de la Thaïlande septentrionale (ci-contre) évoque bien l'opposition, lors du décès du Bouddha, entre la douleur ressentie par les moines encore en quête de la libération et la sérénité de ceux qui sont déjà parvenus à l'état d'*arhant*.

ne peut être allumé et l'on remarque que c'est au grand disciple, ce «fils aîné», qu'il appartiendrait de le faire. N'ayant pu encore rejoindre le Maître, informé par quelque prodige, il se hâte de «venir aux pieds du Bienheureux». Et dès son arrivée, ceux-ci surgissent de leurs enveloppes pour exaucer son vœu. Dans le même instant, le bûcher s'embrase spontanément; il s'éteindra d'une manière tout aussi surnaturelle.

Le partage des reliques

Dès la fin de la cérémonie, les ossements sont recueillis et emportés par les Malla, qui pensent les conserver,

L'extension du culte des reliques du Bouddha, que celles-ci soient corporelles, matérielles ou commémoratives, a conduit, dès avant l'ère chrétienne, à créer des *stûpa*-reliquaires, souvent mobiles, qui reproduisent, à échelle réduite, les dispositions architecturales des *stûpa* élevés dans les diverses contrées concernées.

du fait que mort et crémation ont eu lieu dans leur capitale. Mais divers princes voisins les revendiquent aussi ; une guerre menace. Le brâhmane Drona arbitre le différend et propose de faire huit parts, conservant comme «honoraires» la coupe utilisée pour le partage. Les Maurya – ou un brâhmane – de Pippalavatî arrivés trop tard, emportèrent les charbons du bûcher. Tous, conformément aux indications du Bouddha lui-même, élevèrent un *stûpa* sur les reliques obtenues. La légende ajoute parfois que les humains n'auraient reçu qu'un tiers des reliques, les dieux et les Nâga se partageant les deux autres. Quoi qu'il en soit, 230 ans plus tard, les reliques appartenant aux hommes auraient été divisées en 84 000 parts par Açoka, «monarque universel», quand il entreprit de propager la Doctrine jusqu'aux limites de son empire.

A des titres divers, le roi du Magadha et les chefs des six clans voisins de Kuçinagara réclamèrent aux Malla, «afin de les honorer», une part des reliques que ceux-ci entendaient conserver du fait que la crémation du Bouddha avait eu lieu sur leur territoire. Devant leur refus, les prières se firent exigences, bientôt appuyées par les armes. Le relief sculpté ci-dessus (*stûpa* de Sâñcî) donne à voir ce qui faillit devenir la Guerre des reliques.

« **O** moines, mettez-vous donc en route, et allez pour le bien de beaucoup, pour le bonheur de beaucoup, par compassion pour le monde. [...] Prêchez la Loi. [...] Prêchez-la dans son esprit et dans sa lettre; exposez dans la plénitude de sa pureté la pratique de la vie religieuse. »

Divyâvadâna
(« Les Divins Exploits »)

CHAPITRE VI
LA POURSUITE DE L'ENSEIGNEMENT

Un religieux bouddhiste (à gauche) dépose une offrande de fleurs aux pieds d'une colossale statue rupestre du Bouddha (11,85 mètres), sculptée vers le IXe siècle au Sri Lanka. A droite, ce manuscrit népalais en sanskrit daté de 1184, avec son écriture stylisée sur fond noir, est un texte mahâyânique d'inspiration tantrique, consacré à Vasudhârâ, déesse de l'Abondance.

Après la disparition du Bouddha, il ne pouvait être question de songer à lui trouver un successeur immédiat. Pour l'heure, subsistait la Bonne Loi et c'est à la Communauté qu'il appartenait d'en poursuivre l'enseignement, par la parole et par l'exemple. Le Bienheureux s'étant donné pour règle d'appliquer sans cesse ces préceptes, il n'avait jamais voulu se poser en chef du *Sangha*, se contentant de donner les conseils qui pouvaient se révéler utiles à ceux qui, bien qu'appartenant à la Communauté, menaient une vie errante et se trouvaient donc immanquablement confrontés aux agressions du quotidien et jugés sur leur comportement.

La transmission de l'enseignement

Du fait même de sa rapide croissance, cette Communauté n'était pas un tout monolithique, mais bien plutôt un ensemble de groupes d'importance variable, partageant une même foi mais instruits en des lieux différents, en fonction souvent de données particulières, sans plan rigoureux et jamais sous une forme dogmatique.

Le Maître disparu, chacun se sentit d'autant plus seul qu'il n'existait aucune relation écrite des paroles du Bienheureux. Nul, d'ailleurs, ne les avait probablement entendues dans leur intégralité. Ainsi semble-t-il que soit apparue à tous une double nécessité : préserver l'enseignement donné, en paroles et en actes, par le Maître; préciser la discipline de la Communauté pour endiguer les tendances schismatiques et les querelles stériles déjà manifestées du vivant même du Bouddha. Si l'urgence s'en imposait au plus

Kuçinagara a échappé à la Guerre des reliques. Le brâhmane Drona parvient à faire accepter un partage en huit lots et la sérénité revient. Cette peinture thaïe du XIXᵉ siècle (à droite) restitue l'atmosphère de paix. Observons que le rôle principal échoit ici à un brâhmane mais qu'Indra lui-même est aussi présent, en attitude de vol, prêt à recueillir la huitième part pour la placer dans le reliquaire du Ciel qu'il régit.

Ânanda, debout, ne maîtrise pas sa douleur. Son attitude, empreinte d'une retenue inspirée de la gestuelle du théâtre thaï, révèle son attachement au Maître mais aussi qu'il ne domine pas encore ses sentiments, n'étant pas parvenu à l'état d'*arhant*.

grand nombre, le problème demeurait de trouver
l'autorité qui pourrait entreprendre l'œuvre si
nécessaire.

Deux des plus grands disciples avaient déjà atteint
le *nirvâna*. Restait Ânanda, distingué par le Bouddha
dès sa conversion, et durant vingt-cinq années son
compagnon de chaque instant; le plus proche du
Bouddha et assurément son plus fidèle témoin, il était
sans doute le plus apte à s'imposer à une communauté
décontenancée. Ânanda, plus préoccupé du

Les disciples rendent hommage à l'urne contenant le corps du Bienheureux (ci-contre). Aucune douleur ne se manifeste; le sentiment général est celui d'une sérénité souriante. Par-delà la disparition du Maître, voici la révélation de la totale «cessation de la douleur», l'obtention du but que chacun poursuit. Dans cette optique, ceux qui «ont l'esprit bien libéré» ne peuvent éprouver nulle tristesse.

Bienheureux et d'autrui que de lui-même, n'avait pas encore obtenu l'état d'*arhant*. Ayant bien davantage pratiqué la bienveillance (*maitri*) que cette vigilance (*apramada*) facilement égocentriste qui lui aurait depuis longtemps permis d'y accéder, il se voit tout d'abord écarté du premier Concile lorsque celui-ci, à l'initiative de Mahâkâçyapa, réunit 500 *arhant*.

Le temps des conciles

Dès la saison des pluies suivant le *Mahâparinirvâna*, le Concile – assemblée des religieux de haut rang qui se réunissent pour régler des questions de discipline ou de doctrine – se tient à Râjagriha dans une caverne du mont Vaihâra; il siège durant sept mois. Ânanda y est accusé de cinq fautes (certains textes en signalent

Une place particulièrement importante est tenue, dans la littérature du Mahâyâna, par les traités consacrés à la Perfection de Sagesse (ci-dessous). Considérés comme originaires du sud de l'Inde, ils ont été conservés dans les contrées du nord. Leur longueur varie de 125 000 stances à quelques syllabes seulement. Daté d'environ 1145, le traité en 8 000 stances ci-dessous se présente comme tous les manuscrits sur olles (feuilles de palmier). Les feuillets sont inscrits, recto verso, dans le sens de la largeur; une enluminure, plus ou moins directement inspirée par le contexte, occupe leur partie médiane.

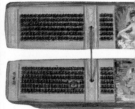

L'insistance avec laquelle les disciples du Bouddha sont évoqués par les peintures des monastères (ci-contre) est autant un enseignement pour les fidèles qu'un exemple permanent pour la Communauté des religieux.

Fils de brâhmane, le disciple Mahâkâçyapa était un homme austère et rigoureux, toutes qualités le prédisposant au rôle qu'il jouera auprès de la Communauté lorsqu'il réunira le concile de Râjagriha.

Râjagriha, le «séjour royal», était réputé pour avoir accueilli de nombreux rois plus ou moins légendaires. Au temps du Bouddha, la cité édifiée par son ami, le roi Bimbisâra, était l'une des six villes principales de l'Inde. Au Pic des Vautours, le Bouddha aurait prononcé un sermon qui constitue l'un des fondements du Mahâyâna.

jusqu'à dix) commises alors qu'il servait le Bouddha. Il se retire dans la solitude, y réalisant en quelques heures l'état d'*arhant*, et peut alors rejoindre l'assemblée où sa confession publique préfigure celle que la règle imposera au *Sangha*.

Pour les points touchant la discipline, le *Vinaya*, c'est Upâli, l'ancien barbier des Çâkya, qui sera interrogé. Pour la doctrine, les réponses d'Ânanda constitueront l'essentiel des *Sûtra*. L'ensemble ne sera consigné par écrit que peu avant le début de l'ère chrétienne, mais le témoignage des images, dont les plus anciennes sont antérieures de près de deux siècles, garantit que pour l'essentiel la

Corbeille des Textes (*Sûtrapitaka*) était déjà effectivement fixée. A l'issue du Concile, tandis que Mahâkâçyapa poursuit, à l'instar du Bouddha, pérégrinations et enseignements (certains de ceux-ci figureront dans les textes canoniques), Ânanda assume le premier rôle au sein de la Communauté. Parmi les disciples qu'il instruit, Yaças est le plus éminent. Ayant eu le privilège de voir encore le Bouddha, il sera appelé, à un âge avancé, à jouer un rôle très important lors de la tenue du second Concile.

A propos des dons d'or et d'argent

Réuni quelque cent ou cent-dix ans après le *Mahâparinirvâna* à l'instigation de Yaças (ce qui semble faire un temps bien long pour qu'il ait pu connaître le Bouddha), le Concile de Vaiçâlî rassemble 700 moines. Son but est de juger de la validité de dix pratiques adoptées par les moines de Vaiçâlî, en particulier celle d'accepter des fidèles le don d'or ou d'argent.

Yaças, condamnant l'ensemble de ces usages comme contraires à la discipline s'était vu exclure par les Vaiçâliens. Le Concile devait donc réunir des moines de Vaiçâlî et des religieux de contrées fidèles à la régle traditionnelle, y compris ceux de régions plus lointaines (Avanti, Dekkan, etc.) plus récemment gagnées par

L'utilisation des terres cuites émaillées à des fins didactiques est attestée en Birmanie dès les VIIIe-IXe siècles. L'inscription ci-dessus en caractères birmans récents invite à reconnaître le 3e concile, celui de Pâtaliputra, dans cette figuration schématisée à l'extrême.

la Bonne Loi. Un jury de huit autorités, réunissant en nombre égal Vaiçâliens et partisans de Yaças, aurait prononcé un premier verdict qui, soumis à l'ensemble de l'assemblée, entraîna la condamnation des pratiques vaiçâliennes par référence aux prescriptions du *Pratimoksha*, recueil non canonique des fondements mêmes de la discipline.

Une doctrine pour les laïcs

Le rôle des moines et l'importance historique des conciles ne doivent pas faire oublier que la Doctrine s'adresse d'abord aux laïcs, sans distinction d'origine ni de condition. Dès sa formation, la Communauté a été constituée du *Sangha*, c'est-à-dire l'ensemble des moines (*bhikshu*) et de la foule des disciples laïcs (*upâsaka*). Si les premiers consacrent leur vie au progrès spirituel et à l'enseignement, par la parole et par l'exemple, du Dharma, de la Loi, les seconds n'en jouent pas moins un rôle éminent par leur rapport avec le milieu familial et la société.

Au contraire de la vie en Communauté, qui impose une discipline particulière, la vie laïque ne demande du futur disciple que de prononcer, en présence de religieux, sa prise du Triple Refuge, souvent désigné aussi comme le Triple Joyau,

Non seulement riche décor, les sculptures qui ornent ce pilier sont avant tout une représentation de la personne du Bouddha et de son Enseignement, considérés dans leur signification universelle. On a souligné que le symbolisme de cette composition, débutant par les Empreintes des pieds du Bouddha, s'achevant par la Roue de la Loi surmontée du Triple Joyau et honorée du parasol royal, était l'image même de l'essence du Bouddha se confondant avec l'Enseignement. Cette évocation s'inscrit dans la tradition des Upanishad védiques. Bien davantage que les premières images du Bouddha sous l'apparence humaine des premiers siècles après J.-C., ce sont ces spéculations et cette symbolique qui aident à comprendre l'émergence et les rapides progrès du Mahâyâna.

La transcription des manuscrits bouddhiques, en pâli ou en sanskrit, reflète les traditions locales. En Asie centrale (page de gauche, en haut), une écriture inspirée de celle de l'Inde Gupta a été utilisée jusqu'au VIIe siècle. Dans la Thaïlande, nord excepté, les caractères khmers *mûl* sont utilisés, comme au Cambodge, pour les textes en pâli (page de gauche, en bas).

dans le Bouddha, la Loi,
la Communauté et l'observation
des Cinq Préceptes garants de sa
conduite morale : ne pas détruire
la vie, ne pas voler, ne pas
commettre l'adultère, ne pas
mentir et ne pas consommer de
boissons enivrantes. L'accès à la
Voie Octuple lui est dès lors
ouvert et l'on a vu, du temps

même du Bouddha, des laïcs obtenant
l'état de sainteté des *arhant*.

Rappelons que le bouddhisme, sauf
dans ses développements tantriques,
n'impose aux fidèles ni rites, ni cérémonies
extérieures, et que seules la piété et la tradition ont
favorisé la célébration de certaines fêtes ou la
vénération des reliques et des lieux saints.

Açoka et le bouddhisme

Douzième successeur de Bimbisâra, le souverain ami
du Bouddha, Açoka le Maurya se serait converti six
ou neuf ans après son sacre, lui-même intervenu
218 ans après le *Mahâparinirvâna*. Dans la dix-
huitième année de son règne, un concile se tint

La Roue «aux mille
rais» symbolise tout
ensemble le Bouddha et
la Loi qu'il a enseignée.
Elle marque aussi la
plante de ses pieds
et de ses mains.
L'Empreinte, ou plutôt
la contre-empreinte du
ou des pieds du Bouddha,
tend à évoquer, par sa
présence en un lieu, la
protection assurée par
le Bouddha et la Loi.

à Pâtaliputra, la nouvelle capitale du Magadha. Sa convocation répondait au développement de tendances schismatiques qui avaient, d'ailleurs, amené Açoka à promulguer trois édits contre les responsables. Mais son entreprise la plus remarquable, liée à l'extension de l'empire au Jambudvîpa tout entier, soit le sub-continent indien, fut la volonté de porter la religion par-delà ses limites.

La décision, prise à l'issue du concile, impliquait l'envoi de missionnaires dans neuf contrées. Toutes n'étaient pas à proprement parler des «terres de mission», mais parmi les nouveaux territoires visés, on retiendra particulièrement (selon les sources en pâli) : Suvannabhûmi (aux confins de la basse Birmanie et de la Thaïlande actuelles), Tambapanni (au Sri Lanka), le Yonakarattha (futurs royaumes grecs de Sogdiane et de Bactriane) et les contrées himalayennes. S'il était encore trop tôt pour que la mission de Suvannabhûmi puisse déjà porter ses fruits, les autres, et particulièrement celle du Sri Lanka conduite par Mahinda, le fils ou le frère d'Açoka, étaient

Le monarque universel – *cakravartin*, «qui possède la Roue», «qui est guidé par la Roue» – montre les mêmes marques de l'Homme éminent que le Bouddha.

Affirmant la protection du Bienheureux, les signes de caractère auspicieux sont très populaires et se multiplient à partir du XIᵉ siècle, le nombre idéal étant de 108, nombre considéré, dans les spéculations indiennes, comme le plus éminent.

Cette femme indienne vénérant une image du Bouddha, dont elle touche les pieds, accomplit un acte de piété individuel qui n'obéit à aucune prescription particulière. Son geste évoque la *pûjâ* brâhmanique, comme également les offrandes de fleurs, d'encens ou d'étoffes dont sont occasionnellement drapées les statues.

Monument bouddhique par excellence, reliquaire et édifice commémoratif vénéré par les fidèles, le *stûpa* n'a pourtant pas été créé par et pour le bouddhisme. Ses origines se confondent avec celles des *tumuli*, remontant donc aux âges du bronze et du fer. Dans les temps reculés, c'était une construction massive, en brique ou en pierre, comprenant un soubassement et un dôme surmonté d'un pilier qui, portant des étagements de parasols et d'oriflammes, fut transformé, au début de l'ère chrétienne, en cette forme conique qui caractérise les *stûpa*. Le Ruvanveliseya Dagaba d'Anuradhapura (page de droite, en bas), *stûpa* singhalais restauré au XIXe siècle, restitue assez bien la silhouette ancienne. Le Bodhnâth, à Kathmandu (page de gauche, en haut), sans doute contemporain, s'enrichit de figurations peintes, sur chacune des faces, des yeux et de la touffe de poils entre les sourcils, attribut des Bouddha. Le style des *stûpa* a aussi connu une évolution selon les régions. Au Ladâkh, au nord-est du Kashmir (à gauche, en bas), c'est la forme tibétaine du *shorten* qui a prévalu. En Thaïlande, un développement en hauteur de la formule primitive : ci-contre, en haut, un des *stûpa* de Wat Mahathat de Sukhothaï (XIVe siècle).

appelées à jouer un rôle essentiel pour la conservation, par écrit, de la tradition. Pour en revenir à Açoka, sa bienveillance est restée fameuse. Respectueux des préceptes du bouddhisme, il en fit preuve à l'égard des «hétérodoxes» (Âjîvika en particulier), en dépit de l'hostilité parfois manifestée à sa foi, même parmi ses proches. Les plus anciennes œuvres d'art connues honorant le bouddhisme doivent être rapportées à son règne. S'il reste peu de chose des *stûpa* édifiés sur les sites des grands pèlerinages, quelques-uns des piliers qui y furent dressés demeurent bien connus, tel le chapiteau «aux lions» de celui élevé sur le lieu du Premier Sermon (aujourd'hui conservé au musée de Sârnâth). Enfin sa légende, l'*Açokâvadana* («exploits d'Açoka») ayant été, tout au long des siècles, un modèle pour les souverains bouddhistes, Açoka a pu être regardé comme le fidèle laïc le plus éminent, protecteur et propagateur, pour le bien de tous, des Trois Joyaux que sont le Bouddha, la Loi, la Communauté.

Le grand *stûpa* de Sâñcî a été édifié aux IIᵉ-Iᵉʳ siècle av. J.-C. sur les vestiges de celui qu'avait construit Açoka vers la fin de son règne. Sa balustrade de pierre, dotée de quatre portails monumentaux, a été exécutée à la fin du Iᵉʳ siècle av. J.-C. et ses sculptures, offertes par de pieux donateurs, sont l'œuvre de sculpteurs sur bois et sur métaux et d'ivoiriers. Fondées sur le principe de la narration continue, elles mettent en scène de nombreux personnages. Les *Jâtaka*, thème principal de l'ancienne école, sont rarement illustrés; les scènes empruntées à la vie du Bouddha et à l'histoire du bouddhisme ont la préférence. Ci-contre, le portail ouest (face postérieure) montre sur ses piliers le Premier sermon, symbolisé par la Roue, et trois *stûpa* évoquant le partage des reliques. Les architraves figurent la défaite de Mâra, l'obtention de l'Eveil sous l'Arbre de la Bodhi, la Guerre des reliques et le siège de Kuçinagara.

A Sârnâth, sur le lieu où avait été prononcé le premier sermon, Açoka avait fait dresser un pilier monolithe haut d'environ 15 mètres. Sa partie inférieure se dresse encore *in situ*, tandis que son chapiteau (ci-dessus) est conservé au musée de Sârnâth.

L'extension du bouddhisme

Après le règne d'Açoka, si important pour le bouddhisme, une renaissance du brâhmanisme se manifeste à l'avènement de la dynastie Çunga (176 av. J.-C.). Objet de quelques persécutions, le bouddhisme n'en poursuit pas moins sa progression dans le centre et l'Ouest de l'Inde (comme en témoigne l'art de

Les pèlerins chinois qui allèrent «chercher la Loi dans les contrées occidentales» à partir de la seconde moitié du IIIe siècle apr. J.-C., et jusqu'à la proscription du bouddhisme par les Tang (en 845), sont classiquement représentés en costume de voyageurs (ci-contre), chargés des ouvrages qu'ils rapportaient pour les traduire et en diffuser l'étude.

Bharhut et de Sâñcî), dans le nord-ouest (contrées soumises aux grecs, Baktriane) et dans le Sud-Est (pays Ândhra, Amarâvatî) où prospèrent de nombreuses sectes.

C'est vers le Iᵉʳ siècle av. J.-C., avec les invasions Çaka, des Iraniens nomades, que commence l'expansion vers les oasis de l'Asie centrale et l'Extrême-Orient, le bouddhisme pénétrant en Chine au Iᵉʳ siècle apr. J.-C.

Les progrès du Mahâyâna, le Grand Moyen de Progression, s'affirment dans le même moment. Issue du schisme dénoncé au concile de Vaiçâlî, sa doctrine repose sur des spéculations sur le sens des enseignements du Bouddha. Elle est jugée plus approfondie que celle des «anciens», qualifiée Hînâyana, Moyen inférieur de Progression. Riche d'une littérature très abondante, elle multiplie les Bouddha dans l'espace et dans le temps, exalte la carrière et le rôle des Bodhisattva et restreint l'importance des *arhant*. Son succès fut considérable, même dans des contrées traditionnellement attachées au bouddhisme des Anciens.

Wat Phra Si Sanphet, le monastère de la Sainte Omniscience (ci-dessous), fut édifié aux XVᵉ et XVIᵉ siècles à Ayuthya, alors capitale de la Thaïlande, dans l'enceinte du Palais royal. Ruiné au cours de la prise de la capitale par les Birmans (1767), il ne fut pas restauré.

Le déclin s'amorce aux Ve et VIe siècles, avec les invasions des Huns, et s'accélère avec celles des musulmans. A la fin du XIIe siècle, le bouddhisme ne subsiste que dans le sud de l'Inde ; il progresse dans la Péninsule indochinoise tandis que se renforce l'autorité spirituelle du Sri Lanka.

Au cours des VIIe et VIIIe siècles apparaissent de nouvelles doctrines à partir de réflexions sur le Mahâyâna, dont l'autorité décroît. Parmi celles-ci, le Dhyâna (le chan chinois, le zen japonais), fondé sur la primauté de la méditation, et le bouddhisme tantrique, extrapolation utilisant les *tantra* (trame, doctrine magique), comme souvent d'ailleurs le brâhmanisme contemporain. Recourant au ritualisme, au yoga, à la magie, acceptant le symbolisme sexuel et le dualisme érotique, pratiqué en Indonésie, il a prévalu au Tibet, dans les contrées voisines et en Mongolie. Le bouddhisme des Anciens persiste au Sri Lanka et dans la Péninsule indochinoise, tandis que les écoles mahâyâniques continuent de fleurir en Extrême-Orient, en particulier en Corée et au Japon.

Amida (ci-dessus), dont le culte s'est développé au Japon dès le XIIe siècle, est le Bouddha de la Lumière infinie, regardé par ses sectateurs comme le Bouddha primordial, sans commencement ni fin.

TÉMOIGNAGES
ET DOCUMENTS

Le Bouddha et le bouddhisme,
naissance d'une religion.

«Nobles vérités», quelques paroles du Bouddha

«Partout dans le monde où il y a des choses délicieuses et plaisantes, là le désir peut disparaître et s'éteindre.» Paradoxe? Ainsi procède la Noble Vérité de l'Extinction de la souffrance, au travers de la disparition complète, de l'extinction du désir; ainsi procède aussi l'enseignement du Bouddha qui, devant l'urgence du salut, s'attache plus à l'analyse qui mène à la connaissance qu'aux tentatives d'explication.

Le Premier Sermon, ou Sermon de Bénarès, est l'exposé des Quatre Nobles Vérités découvertes par le Bouddha lors de l'acquisition du Suprême Complet Eveil. Ces vérités, qui peuvent paraître assez simples à qui est prévenu, étaient évidemment bien difficiles à appréhender pour la première fois, d'où les hésitations du Bienheureux à enseigner une doctrine qu'un auditoire non instruit ne comprendrait peut-être pas. Le Sermon enfin prêché, c'était la Mise en Mouvement de la Roue de la Loi, début d'une prédication que le Bouddha poursuivra quarante-cinq années durant, jusqu'à sa Totale Complète Extinction, et que continue, depuis lors, inlassablement, la Communauté des moines.

La Mise en mouvement de la Roue de la Loi

O ascètes, deux extrêmes ne peuvent être fréquentés par ceux qui ont quitté la vie de famille : l'exercice des plaisirs, l'amour des plaisirs des sens; ou bien les pratiques par lesquelles on se fait souffrir soi-même et, à cause de doctrines non saintes, on épuise de fatigue son corps et son esprit sans pouvoir conserver ce que l'on a préparé. O ascètes, en dehors de ces deux extrêmes, il y a la voie du milieu, où l'œil apparaît, la connaissance apparaît, la quiétude définitive, l'apaisement, qui crée la connaissance surnaturelle et fait obtenir l'Eveil complet, qui crée la vie religieuse, qui mène l'Extinction. Que nomme-t-on voie du milieu?...

C'est la sainte Voie des huit corrections : l'opinion correcte, l'intention correcte, la parole correcte, l'activité correcte, les moyens d'existence corrects, l'effort correct, l'attention

La Roue de la Loi.

correcte, la concentration mentale correcte; telle est la voie du milieu…

Il y a quatre saintes Vérités : la sainte Vérité de la douleur, la sainte Vérité de l'origine de la douleur, la sainte Vérité de la cessation de la douleur, la sainte Vérité du chemin qui mène à la cessation de la douleur.

Qu'est-ce que la sainte Vérité de la douleur? La naissance est douleur, la vieillesse est douleur, la maladie est douleur, la mort est douleur, l'union avec ce que l'on déteste est douleur, la séparation d'avec ce que l'on aime est douleur, ne pas obtenir ce que l'on désire est douleur; en conséquence, les cinq agrégats d'appropriation sont douleur… Cette sainte Vérité de la douleur doit être connue, et elle est connue par moi. La Voie des huit corrections doit être cultivée…

Qu'est-ce que la sainte Vérité de l'origine de la douleur? La soif, qui est à l'origine des naissances, associée aux plaisirs des sens, par laquelle on éprouve du plaisir… Cette sainte Vérité de l'origine de la douleur doit être supprimée, et elle est supprimée par moi. La Voie des huit corrections doit être cultivée…

Qu'est-ce que la sainte Vérité de la cessation de la douleur? La cessation de cette soif, son détachement, son abandon, son renoncement, sa libération, sa suppression, son apaisement, son absence de lieu d'asile, telle est la sainte Vérité de la cessation de la douleur. Cette sainte Vérité de la cessation de la douleur doit être vue de ses propres yeux, et je l'ai vue de mes propres yeux. La Voie des huit corrections doit être cultivée…

Qu'est-ce que la sainte Vérité du chemin qui mène à la cessation de la douleur? C'est la sainte Voie des huit corrections : l'opinion correcte,

l'intention correcte, la parole correcte, l'activité correcte, les moyens d'existence corrects, l'effort correct, l'attention correcte, la concentration mentale correcte… Cette sainte Vérité du chemin qui mène à la cessation de la douleur doit être cultivée, et elle a été cultivée par moi.

Voici la sainte Vérité de la douleur, telle est, à l'endroit des choses qui n'avaient jamais encore été entendues auparavant, la connaissance qui surgit en moi, l'Eveil qui se produisit, la science qui apparut, la connaissance surnaturelle qui apparut, la sagesse qui apparut et ce que je pus voir de mes propres yeux. Elle doit être connue, cette sainte Vérité de la douleur… Elle est connue par moi… Voici la sainte Vérité de l'origine de la douleur… Elle doit être supprimée… Elle fut supprimée par moi… Voici la sainte Vérité de la cessation de la douleur… Elle doit être vue de mes propres yeux… Elle est vue de mes propres yeux… Voici la sainte Vérité du

P remier sermon du Bouddha.

chemin qui mène à la cessation de la douleur… Elle doit être cultivée… Elle fut cultivée par moi… Telles sont les quatre saintes Vérités.

Tant que je n'eus pas cultivé les douze aspects en trois cycles des quatre saintes Vérités, je ne les connus pas selon la réalité, je ne pus suivre jusqu'au bout la Voie de la réalité parfaite et suprême, mais, quand je connus selon la réalité les douze aspects en trois cycles des quatre saintes Vérités, je suivis jusqu'au bout la Voie de la réalité parfaite et suprême, et je ne connus plus de doutes ni d'obstacles. Quand un Tathâgata prêche ces quatre saintes Vérités, si, dans la foule de ses auditeurs, il n'est personne qui les comprenne, alors le Tathâgata ne met pas en mouvement la Roue de la Loi. Quand un Tathâgata prêche ces quatre saintes Vérités, si, dans la foule de ses auditeurs, il y a des gens qui la comprennent, alors le Tathâgata met en mouvement la Roue de la Loi. Parmi les ascètes (çramana) et les brahmanes, les Brahma et les Mâra, les dieux et les hommes, dans le monde il n'est personne qui puisse la mettre en mouvement. C'est pourquoi les quatre saintes Vérités doivent être cultivées avec énergie, avec effort : la sainte Vérité de la douleur, la sainte Vérité de l'origine de la douleur, la sainte Vérité de la cessation de la douleur, la sainte Vérité du chemin qui mène à la cessation de la douleur. Ainsi doivent-elles être étudiées…

Dès que les divinités terrestres eurent entendu ce qu'avait dit le Tathâgata, elles se dirent mutuellement : "Maintenant, le Tathâgata est parvenu à la condition d'Arhant, à l'Éveil parfait. A Bârânasî, chez les Sages, dans le Parc aux Daims, il vient de mettre en mouvement la Roue de la Loi suprême, qui n'avait jamais été mise en mouvement auparavant. Parmi les ascètes et les brahmanes, les Brahma et les Mâra, les dieux et les hommes, dans le monde il n'est personne qui puisse la mettre en mouvement." Ces paroles chantées par les divinités terrestres furent entendues par les quatre Rois Divins, par les dieux Trâyastrimças, par les dieux Yâma, par les dieux Tusita, par les dieux Nirmânarati, par les dieux Paranirmitavaçavartin, qui, les uns après les autres, se dirent mutuellement : "Maintenant, le Tathâgata est parvenu à la condition d'Arhant… il n'est personne qui puisse la mettre en mouvement." Alors, en un seul instant, en un seul moment, leurs paroles parvinrent jusqu'aux dieux Brahma.»

Vinayapitaka des Dharmaguptaka, in A. Bareau, *En suivant Bouddha*

«Dhammapada», paroles de vérité (versets choisis)

Le Dhammapada, *«vers sur la Loi», est l'un des plus célèbres textes bouddhiques rédigés en pâli, autant pour sa valeur littéraire – il s'agit de stances de quatre pieds, les* pada *– que pour les thèmes édifiants qu'ils abordent. Certains de ceux-ci d'ailleurs, appartenant à un fonds indien commun, se retrouvent dans la littérature jaina et dans les textes classiques.*

Tous les états mentaux ont l'esprit pour avant-coureur, pour chef ; et ils sont créés par l'esprit. Si un homme parle ou agit avec un mauvais esprit, la souffrance le suit d'aussi près que la roue suit le sabot du bœuf tirant le char.

Tous les états mentaux ont l'esprit pour avant-coureur, pour chef ; et ils sont créés par l'esprit. Si un homme parle ou agit avec un esprit purifié, le bonheur l'accompagne d'aussi près que son ombre inséparable.

«Il m'a vilipendé ; il m'a maltraité ; il

m'a vaincu; il m'a volé.» Chez ceux qui accueillent de telles pensées, la haine ne s'apaise jamais.

«Il m'a vilipendé; il m'a maltraité; il m'a vaincu; il m'a volé.» Chez ceux qui n'accueillent jamais de telles pensées, la haine s'apaise.

En vérité, la haine ne s'apaise jamais par la haine. La haine s'apaise par l'amour, c'est une loi éternelle.

La plupart des hommes oublient que nous mourrons tous un jour. Pour ceux qui y pensent, la lutte est apaisée.

Ceux qui prennent l'erreur pour la vérité et la vérité pour l'erreur, ceux qui se nourrissent dans les pâturages des pensées fausses, – n'arriveront jamais au réel.

Mais ceux qui prennent la vérité comme vérité et l'erreur comme erreur, – ceux qui se nourrissent dans les pâturages de pensées justes, – arriveront au réel.

De même que la pluie entre dans une maison dont le chaume est disjoint, ainsi la passion pénètre un esprit non développé.

De même que la pluie n'entre pas dans une maison bien couverte de chaume, ainsi la passion ne pénètre pas un esprit bien développé. […]

La vigilance (*appamâda*) est le sentier de l'immortalité. La négligence est le sentier de la mort. Ceux qui sont vigilants ne meurent pas. Ceux qui sont négligents sont déjà morts.

Comprenant bien cette idée, les sages vigilants qui suivent la voie des nobles (*ariya*) se réjouissent dans la vigilance.

Ceux qui sont sages, méditatifs, persévérant sans relâche, atteignent au Nibbâna qui est la félicité suprême.

De celui qui est énergique, attentif, pur en ses actions, qui agit d'une manière réfléchie, se contrôle, vit avec droiture, qui est vigilant, – la bonne renommée s'accroît.

Par sa diligence, sa vigilance, sa maîtrise de soi, l'homme sage doit se faire une île que les flots ne pourront jamais submerger.

Les insensés dans leur manque de sagesse, s'abandonnent à la négligence. Le sage garde la vigilance comme la richesse la plus précieuse.

Ne vous laissez pas aller à la négligence, ni aux plaisirs des sens. Celui qui est adonné à la méditation obtient la Grande Joie.

Vigilant parmi les négligents, éveillé parmi les somnolents, le sage avance comme un coursier laissant derrière lui la haridelle. […]

On doit s'associer avec celui qui fait voir les défauts comme s'il montrait un trésor. On doit s'attacher au sage qui réprouve les fautes. En vérité fréquenter un tel homme est un bien et non un mal.

Ne prends pas comme amis ceux qui font le mal ou ceux qui sont bas. Fais ta compagnie des bons, recherche l'amitié des meilleurs parmi les hommes.

Celui qui boit à la source de la Doctrine, vit heureux dans la sérénité de l'esprit. Le sage se réjouit toujours de la Doctrine enseignée par les *Ariya* (Nobles).

Les constructeurs d'aqueducs conduisent l'eau à leur gré; ceux qui fabriquent les flèches les façonnent; les charpentiers tournent le bois (selon leur gré); les sages se contrôlent eux-mêmes.

De même que le rocher solide n'est pas ébranlé par le vent, de même les sages restent inébranlés par le blâme ou la louange.

Comme un lac profond, limpide et calme, ainsi les sages deviennent clairs, ayant écouté la Doctrine.

Il est peu d'hommes qui passent sur l'autre rive. La plupart vont et viennent sur cette rive.

Mais ceux qui suivent la Doctrine bien enseignée, franchissent le domaine de la Mort, difficile à traverser.

Il n'est pas de fièvre des passions pour celui qui a terminé son voyage, qui est libre de tout souci, qui s'est libéré de toutes parts, qui a rejeté tous ses liens.

Les dieux eux-mêmes envient celui dont les sens ont été domptés, – comme l'est un cheval par son cavalier, – qui s'est débarrassé de tout orgueil et libéré des convoitises.

Comme la terre, un homme constant et cultivé ne s'offense pas; il est semblable à un pilier, transparent comme un lac sans limon; pour lui, le cycle de naissances et de morts n'existe plus.

Tranquilles sont les pensées, les paroles et les actes de celui qui, avec la connaissance juste, est libéré complètement, parfaitement paisible et équilibré.

Que ce soit dans un village, dans une forêt, dans la plaine ou sur une colline, là où vivent les hommes dignes (*Arahant*), cet endroit est charmant.

Délicieuses sont les forêts où la foule ne se réjouit pas; les hommes libres de passions y trouvent la joie parce qu'ils ne recherchent pas les plaisirs des sens.

«Vesala-sutta», qui est le paria?

Les Nikâya, *recueil de* sutta, *c'est-à-dire de textes plus ou moins longs rapportant des discours du Bouddha ou de disciples directs, appartiennent à la littérature canonique en pâli. Le* Vesala Sutta *fut prêché à Çrâvastî par le Bouddha à un brâhmane qui, l'injuriant tandis qu'il procédait à sa quête quotidienne, l'avait traité de «hors-caste», de «paria» (*vesala*).*

L'homme qui est coléreux et haineux, qui est méchant et hypocrite, qui a adopté des vues fausses et est trompeur – qu'il soit considéré comme un paria.

Celui qui dans ce monde fait souffrir les créatures vivantes qu'elles soient nées une fois ou deux, en qui il n'y a pas de compassion pour les êtres vivants – qu'il soit considéré comme un paria.

Celui qui détruit ou assiège des villages et des villes et se conduit en ennemi – qu'il soit considéré comme un paria.

Que ce soit dans le village ou dans la forêt, celui qui s'approprie par vol ce qui appartient aux autres et ce qui n'est pas donné – qu'il soit considéré comme un paria.

Celui qui, ayant contracté une dette, dupe son créancier en disant «je ne vous dois rien» – qu'il soit considéré comme un paria.

Celui qui par convoitise pour un objet attaque un voyageur pour le dépouiller – qu'il soit considéré comme un paria.

L'homme qui dans son intérêt ou celui des autres, ou pour des richesses, porte un faux témoignage – qu'il soit considéré comme un paria.

Celui qui prend les femmes de ses parents ou de ses amis, que ce soit de force ou avec leur consentement – qu'il soit considéré comme un paria.

Celui qui, pouvant le faire, ne veut pas subvenir aux besoins de son père et de sa mère lorsqu'ils sont vieux – qu'il soit considéré comme un paria.

Celui qui frappe ou blesse en paroles sa mère, son père, son frère, sa sœur ou ses beaux-parents – qu'il soit considéré comme un paria.

Celui qui, étant consulté, donne de mauvais conseils et complote secrètement –

qu'il soit considéré comme un paria.

Celui qui ayant commis une mauvaise action espère que personne ne le saura et fait le mal en se cachant – qu'il soit considéré comme un paria.

Celui qui étant allé dans la maison d'un autre y reçoit la nourriture et ne rend pas cette hospitalité – qu'il soit considéré comme un paria.

Celui qui par fausseté trompe un brahmane ou un samana ou tout autre mendiant – qu'il soit considéré comme un paria.

Celui qui lance des paroles irritées et ne donne rien à un brahmane ou à un samana venu au moment du repas – qu'il soit considéré comme un paria.

Celui qui est enfoncé dans l'ignorance, ne donne pas la moindre aumône mais dénigre les dons modestes – qu'il soit considéré comme un paria.

Celui qui se glorifie et méprise les autres par orgueil étant lui-même méprisable – qu'il soit considéré comme un paria.

Celui qui fait naître la colère chez les autres, est avare, a des désirs mauvais, est envieux, rusé, n'a pas de honte ou ne craint pas de faire le mal – qu'il soit considéré comme un paria.

Celui qui injurie le Bouddha ou son disciple, un moine errant ou un laïc – qu'il soit considéré comme un paria.

Celui qui sans être un arahant (saint) prétend l'être est le plus grand voleur et vraiment le plus bas des parias de tous les mondes jusqu'à celui de Brahma.

Ceux-là que je viens de décrire sont vraiment des parias. Ce n'est pas par la naissance que l'on devient un paria. Ce n'est pas par la naissance que l'on devient un brahmane. Par ses actes l'on devient un paria, par ses actes l'on devient un brahmane.

Suttanipâta, I, 7, *in* W Rahula,
L'Enseignement du Bouddha,
Le Seuil, Paris, 1961

L'enseignement essentiel du Bouddha

Peu de mois après l'audition du Premier Sermon, un novice, questionné sur la doctrine qui lui était enseignée, l'exposa en une stance qui en respectait si parfaitement l'esprit qu'elle entraîna la conversion immédiate de Çâriputra et de Maudgalyâyana, les deux grands disciples. Durant de longs siècles, les dévôts lui accordèrent tant d'importance qu'ils la firent figurer aussi bien sur tous les objets de piété que sur les briques de diverses constructions ou parmi les reliques conservées dans les stûpa. *Elle demeure, pour les bouddhistes, une formule rituelle inlassablement répétée :*

Les choses qui naissent d'une cause, celui qui est arrivé à déclarer ce qui est en a dit la cause, et, leur arrêt, il est celui qui l'a dit tel qu'il est, le grand religieux.

En pâli :
Ye dhammâ hetuppabhavâ tesâm hetum tathâgato âha/
Tesañ ca yo nirodho evamvâdî mahâsamano//

En sanskrit :
Ye dharmâ hetuprabhavâ hetum teshâm tathâgato hy avadat/
Teshâm ca yo nirodho evamvâdî mahâçramanah/

J. Filliozat, in *L'Inde classique*,
EFEO, Imprimerie nationale, 1953

Textes canoniques

Sitôt après la crémation du Bouddha, le concile réuni à Râjagriha entreprit de fixer, d'abord par tradition orale, les paroles et l'Enseignement du Bienheureux. La langue utilisée était alors le mâgadhî, parler du bassin moyen du Gange, assez proche du pâli. Le canon pâli le plus complet qui nous soit parvenu, fixé par écrit au Sri Lanka au Ier siècle av. J.-C., comprend trois «corbeilles» ou pitaka *: de la Discipline (*Vinaya), *des textes (*Sutta) *et des Récapitulations sur l'Enseignement (*Abhidhamma).

Le Jâtaka du crocodile

Les Jâtaka *ou «Naissances» (antérieures du Bouddha ainsi que des êtres associés aux titres les plus divers à son ultime existence) sont des récits, légendes ou fables, montrant à la fois la progression dans l'acquisition des «perfections» et la persistance des mauvais penchants d'existence en existence. Ils appartiennent à la «Corbeille des textes» du canon pâli. Le* Jâtaka *du crocodile,* Sumsumâra Jâtaka, *n° 208 du recueil pâli, narre les démêlés du Bodhisattva, alors né singe, avec un crocodile qui n'est autre que le futur Devadatta, et son épouse, Ciñcâ, celle-là même qui s'efforcera de compromettre le Bouddha au Jetavana.*

Jadis, quand Brahmadatta régnait à Bârânasî, le Bodhisatta se réincarna dans l'Himavant sous l'espèce d'un singe. Devenu fort comme un éléphant, plein de vigueur et beau, il établit sa demeure dans la forêt, sur une courbe du Gange.

En ce temps-là un crocodile vivait dans le Gange. L'épouse de ce crocodile, apercevant le Bodhisatta, fut prise d'une violente envie de la chair de son cœur. Elle dit à son mari :

– Maître, je désire manger le cœur de ce roi des singes.

– Ma chère, nous vivons dans l'eau, et lui sur la terre, comment nous serait-il possible de l'attraper ?

– D'une manière ou de l'autre, prends-le. Si je ne l'ai pas, je mourrai.

– Eh bien, ne crains rien, il existe un moyen, je te ferai manger la chair de son cœur.

Ayant ainsi réconforté sa femme, il se rendit auprès du Bodhisatta, qui après avoir bu dans le Gange s'était assis sur la rive du fleuve, et il lui tint ce langage :

– O Indra des Singes, pourquoi tournes-tu en ces lieux battus, mangeant les fruits insipides de cette contrée? De l'autre côté du Gange, les manguiers, les arbres à pain et les autres ont sans fin des fruits délicieux; ne vaudrait-il pas mieux pour toi y aller et manger ces fruits de toutes sortes?

– Roi des crocodiles, le Gange est profond et large, comment irais-je là-bas?

– Si tu veux y aller, je te conduirai en te faisant monter sur mon dos.

Le singe le crut :

– C'est bien, dit-il, consentant.

– Alors donc, viens, grimpe sur mon dos.

Là-dessus le singe obéit.

Le crocodile le conduisit à quelque distance, puis il le fit s'enfoncer dans l'eau.

– Mon cher, dit le Bodhisatta, tu me fais enfoncer, qu'est-ce que cela veut dire?

– Ce n'est pas dans un but honnête et généreux que je t'emporte, mais il est venu à ma femme une violente envie de la chair de ton cœur, et je désire lui faire manger ton cœur.

– Mon cher, comme tu parles bien! Si notre cœur à nous qui vagabondons au sommet des branches était dans notre poitrine, il serait en petits morceaux.

– Et où donc le placez-vous?

– Le Bodhisatta montra, non loin de là, un ficus chargé de bouquets de fruits mûrs :

B as-relief illustrant le *Jâtaka* du singe magnanime

– Ce sont là, dit-il, nos cœurs qui pendent à un ficus.

– Si tu me donnes un cœur, je ne te ferai pas mourir.

– Eh bien, mène-moi là-bas et je t'en donnerai qui pendent à cet arbre.

Le crocodile y alla avec le singe. Le Bodhisatta, ayant bondi du dos du crocodile, s'assit dans le ficus :

– Cher stupide crocodile, tu as imaginé que le cœur de créatures vivantes se trouvait vraiment au sommet d'un arbre? Que tu es sot, je t'ai dupé, garde pour toi ces fruits de toutes sortes. Certes ton corps est grand, mais tu n'as pas d'intelligence.

Là-dessus, illustrant ces paroles, il prononça cette stance :

Fi de ces mangues, de ces jambu,
De ces fruits d'arbres à pain
Qui sont de l'autre côté de l'eau,
Mieux vaut pour moi le ficus.
Ton corps est grand, certes,
Mais ton intelligence n'est pas
en proportion,
Crocodile, tu es dupé.
Va maintenant où bon te semble.

Le crocodile, malheureux comme s'il avait perdu un millier de pièces, la mine défaite et pleurant, rentra chez lui.

Choix de Jâtaka,
Traduits du pâli par Ginette Terral,
Gallimard, Paris, 1958

La Naissance du Bouddha

Texte canonique en sanskrit, le Lalitavistara, *«Développement du jeu», est un sûtra narrant sur le mode épique la vie du Bouddha depuis sa dernière existence parmi les dieux jusqu'à la Mise en Mouvement de la Roue de la Loi. Il est considéré comme intermédiaire entre les traditions du bouddhisme ancien et celles du Mahâyâna. Les épisodes ici reproduits, concernant la Naissance du Bouddha et les Sept Premiers Pas sont empruntés à la prose sanskrite, sans doute un peu postérieure aux stances. Dans leur tendance à magnifier et à exagérer les moindres faits, ils révèlent bien davantage le talent du conteur qu'une volonté d'abuser un auditoire toujours avide de merveilleux.*

Saisissant la branche d'un arbre (ci-dessus), la reine Mâyâ enfante le Bodhisattva par le flanc droit (ci-dessous).

Alors, Religieux, Mâyâ-Dêvî entourée de quatre-vingt-quatre mille chars attelés de chevaux, de quatre-vingt-quatre mille chars portés par des éléphants, tous parés d'ornements de toute espèce, bien gardée par une armée de quatre-vingt-quatre mille soldats au courage héroïque, beaux et bien faits, bien armés de boucliers et de cuirasses; précédée par soixante mille femmes des Çâkyas, protégée par quarante mille parents du roi Çouddhôdana, nés dans des familles de la branche paternelle, vieux, jeunes et d'un âge mûr; entourée de soixante mille personnes de l'appartement intérieur du roi Çouddhôdana, chantant et faisant entendre un concert de voix et d'instruments de toute espèce; entourée de quatre-vingt-quatre mille filles des dieux, de quatre-vingt-quatre mille filles des Nâgas, de quatre-vingt-quatre mille filles des Gandharvas, de quatre-vingt-quatre mille filles des Kinnaras, de quatre-vingt-quatre mille filles des Asouras, ayant achevé toutes sortes d'arrangements et d'ornements, chantant des airs et des louanges de toutes sortes. Suivie (de ce cortège, la reine) sortit (du palais). Tout le jardin de Loumbinî

arrosé d'eau de senteur fut rempli de fleurs divines; et tous les arbres, dans le plus beau des jardins, quoique ce ne fût pas la saison, donnèrent des feuilles et des fruits. Et ce jardin fut parfaitement orné par les dieux, comme, par exemple, le jardin Miçraka est parfaitement orné par les dieux.

Alors, Mâya-Dêvî étant entrée dans le jardin de Loumbinî et étant descendue de ce char excellent, entourée des filles des hommes et des dieux, elle allait d'un arbre à un autre, se promenait de bosquet en bosquet, regardant un arbre puis un autre, successivement jusqu'à ce que Plakcha, le plus précieux entre les grands arbres précieux, aux branches bien proportionnées, portant de belles feuilles et de beaux bourgeons, tout couvert des fleurs des dieux et des hommes, exhalant les parfums les plus suaves, aux branches duquel sont suspendus des vêtements de diverses couleurs, étincelant de l'éclat varié de différentes pierres précieuses, complètement orné de toutes sortes de joyaux depuis la racine jusqu'à la tige

ainsi qu'aux branches et aux feuilles, aux branches bien proportionnées et bien étendues, placé sur le sol de la terre à un endroit uni comme la paume de la main, et bien couvert d'un tapis de gazon vert comme le cou des paons et doux au toucher comme un vêtement de Kâtchilindi, (cet arbre) sur lequel se sont appuyées les mères des précédents Djinas, loué par les chants des dieux, beau, sans tache et parfaitement pur, salué par des centaines de mille de dieux Çouddhâvâsas à l'esprit apaisé, qui courbent leurs têtes avec leurs tresses et leurs diadèmes pendants, c'est vers ce Plakcha qu'elle s'avança.

Ensuite, cet arbre Plakcha, par la puissance de la gloire du Bodhisattva, s'inclina en saluant. Alors, Mâyâ-Dêvî ayant étendu le bras droit pareil à la vue d'un éclair dans le ciel, puis ayant saisi une branche du Plachka, en signe de bénédiction et regardant l'étendue du ciel en faisant un bâillement, elle resta immobile. En cet instant, du milieu des dieux Kâmâvatcharas, soixante mille Aspsaras s'étant approchées pour la

servir lui font une escorte d'honneur.

Accompagné de la manifestation d'une pareille puissance surnaturelle fut le Bodhisattva entré dans le sein d'une mère. Au terme de dix mois accomplis, il sortit du côté droit de sa mère, ayant le souvenir et la science sans être atteint par les taches du sein de la mère, comme cela n'est dit d'aucun autre, car, pour les autres, on dit la tache du sein.

Lalitavistara, chapitre VII, traduit par P. E. M. Foucaux, in *Annales du Musée Guimet*, Leroux, Paris, 1884

Les sept premiers pas

Le Bodhisattva , aussitôt sa naissance, descendit à terre. Et aussitôt que le Bodhisattva Mahâsattva y fut descendu, un grand lotus perçant la terre, apparut. Nanda et Oupananda, tous les deux rois des Nâgas, se montrant à mi-corps dans l'étendue du ciel, ayant fait apparaître deux courants d'eau froide et chaude, baignèrent le Bodhisattva . Çakra, Brahmâ, les gardiens du monde marchent en avant, et bien d'autres fils des dieux, au nombre de plusieurs centaines de mille, qui, aussitôt que le Bodhisattva est né, avec toutes sortes d'eaux de senteur, avec des fleurs fraîches, baignent et couvrent son corps. Dans l'air, deux Tchâmaras et un parasol précieux apparurent. Et lui, se tenant sur le grand lotus, regarda les dix points de l'espace, avec le coup d'œil du lion, avec le coup d'œil du grand homme.

En ce moment aussi, Religieux, fut produit l'œil divin du Bodhisattva , né de la maturité complète de la racine de la vertu antérieure. Avec cet œil divin que rien n'arrête, il vit, tout entière, la réunion des trois mille grands milliers de mondes, avec ses villes, ses villages, ses provinces, ses capitales, ses royaumes ainsi que les dieux et les hommes. Il connut parfaitement la pensée et la conduite de tous les êtres; et les ayant connues, il regarda de tous côtés. «Y a-t-il un être quelconque qui soit semblable à moi par la bonne conduite, ou la contemplation, ou la science, ou l'emploi de la racine de la vertu?» Et alors le Bodhisattva , dans la masse des trois mille grands milliers de mondes, ne vit aucun être égal à lui.

En ce moment, le Bodhisattva , comme un lion, exempt de crainte et de terreur, sans peur, se rappelant une bonne pensée, et, après avoir réfléchi, ayant connu la pensée et la conduite de tous les êtres, sans être soutenu par personne, le Bodhisattva , la face tournée vers la région orientale et ayant fait sept pas, dit : «Je serai celui qui marche en avant de toutes les lois qui ont la vertu pour racine.» Pendant qu'il marchait, au-dessus de lui, dans l'air, sans qu'il fût soutenu (par personne) un grand parasol blanc divin et deux beaux chasse-mouches le suivaient pendant qu'il s'avançait. Partout où le Bodhisattva mettait le pied, partout là aussi naissaient des lotus. De même, en faisant face à la région méridionale, ayant fait sept pas : Je serai digne des offrandes des dieux et des hommes. En faisant face à la région occidentale, ayant fait sept pas, et s'étant arrêté au septième pas, comme un lion, il prononça ces paroles de satisfaction : «Dans le monde, je suis le plus excellent; dans le monde, je suis le meilleur! C'est là ma dernière naissance; je mettrai fin à la naissance, à la vieillesse, à la maladie, à la mort!» En faisant face à la région septentrionale, ayant fait sept pas : «Je serai sans supérieur parmi tous les êtres!» En faisant face à la région inférieure, après avoir fait sept pas : «Je détruirai le démon et son armée; et pour les êtres qui sont dans les enfers, afin de détruire le feu de l'enfer, je ferai tomber la pluie du grand nuage de la loi, par lequel ils seront remplis de joie!»

En faisant face à la région supérieure, ayant fait sept pas, il regarda en haut : «C'est en haut que je serai visible pour tous les êtres!»

Et aussitôt ces paroles prononcées par le Bodhisattva, au même instant, la réunion des trois mille grands milliers de mondes fut bien informée par une voix : Voilà l'essence de la science manifeste née de la maturité complète de l'œuvre du Bodhisattva .

Lalitavistara, chapitre VII, *op. cit.*

Les quatre rencontres

On pourrait s'étonner de ce que le Bodhisattva ne prenne conscience qu'aussi tardivement de la misère de la condition humaine et de la sérénité liée à la vie de religieux errant. Mais ce serait négliger combien l'oisiveté, le luxe et les plaisirs masquent la réalité et privent les êtres de tout jugement. En arrière-plan de cet enseignement des Quatre Rencontres pointe déjà une allusion à ce «monde des désirs» que régit Mâra, dont celui qui sera alors devenu le religieux Gautama devra impérativement triompher pour acquérir le Suprême Complet Eveil.

Le Bodhisattva eut, dans sa jeunesse, l'intention de quitter la vie de famille. Le roi son père craignit qu'il n'étudiât la voie de la délivrance et l'entoura constamment des plaisirs des cinq sens. Quand il eut quatorze ans, il fit atteler son char pour aller se promener et il sortit par la porte orientale de la ville. Il vit par hasard un vieillard à la tête blanche, au dos voûté, qui, appuyé sur un bâton, marchait avec peine. Il demanda à son cocher : «Quel est cet homme? – C'est un vieillard. – Qu'appelle-t-on un vieillard? – Il a vécu

de nombreuses années, ses facultés déclinent, son aspect a changé, son teint s'est altéré. Quand il est assis, il lui est pénible de se lever, il lui reste très peu de vitalité. C'est pourquoi on l'appelle un vieillard. – Echapperai-je moi-même à ce sort? – Pas encore.» Alors il fit faire demi-tour à l'attelage et revint au palais. Comme il n'était pas encore libéré de la loi de la vieillesse, il devint triste et n'éprouva plus aucun plaisir. Le roi demanda au cocher : «Le prince est-il content de sa promenade? – Il en est mécontent. – Pourquoi? – Il a vu par hasard un vieillard, c'est pourquoi il est mécontent.» Le roi craignit que les devins n'aient dit la vérité et que le prince ne quittât bientôt la vie de famille. Aussitôt, il fit augmenter les plaisirs des cinq sens.

Longtemps après, le Bodhisattva ordonna de nouveau à son cocher d'atteler son char pour aller se promener et il sortit par la porte méridionale de la ville. Il vit par hasard un malade dont le corps était maigre et faible, et qui, appuyé contre une porte, respirait avec peine. Il demanda à son cocher : «Quel est cet homme? – C'est un malade. – Qu'appelle-t-on un malade? – Ses quatre grands éléments augmentant ou diminuant, il ne peut plus boire ni manger, son souffle est faible et ténu, sa vitalité est diminuée par les impuretés qui se trouvent en lui. C'est pourquoi on l'appelle malade. – Echapperai-je moi-même à ce sort? – Pas encore.» Alors, il fit faire demi-tour à l'attelage et revint au palais. Pensant qu'il n'était pas encore libéré de la vieillesse et de la maladie, il devint plus triste encore. Le roi demanda de nouveau au cocher : «Le prince est-il content de sa promenade? – Il est encore plus malheureux. – Pourquoi? – Il a vu par hasard un malade et c'est pourquoi il est mécontent.» Le roi craignit que son fils ne quittât bientôt la vie de famille et

Quittant son palais, le Bodhisattva s'en va rejoindre la vie des moines errants.

il fit encore augmenter les plaisirs diurnes et nocturnes des cinq sens.

Longtemps après, le Bodhisattva ordonna de nouveau à son cocher d'atteler un char pour aller se promener et il sortit par la porte occidentale de la ville. Il vit par hasard un mort qui, porté par des hommes, était suivi par ses parents affligés et gémissants. Il demanda à son cocher : «Quel est cet homme? – C'est un mort. – Qu'appelle-t-on un mort? – Son souffle a cessé, son esprit s'en est allé, il n'a plus connaissance de rien, il a abandonné son village vide, il est à jamais séparé de ses parents. C'est pourquoi on l'appelle mort. – Echapperai-je moi-même à ce sort? – Pas encore.» Pensant qu'il n'était pas encore libéré des lois de la vieillesse, de la maladie et de la mort, il fut encore plus triste. Aussitôt, il fit faire demi-tour à l'attelage pour rentrer.

Il vit par hasard un homme dont les cheveux et la barbe étaient rasés, qui portait le vêtement de la loi monastique, tenait un bol à la main et marchait en regardant le sol. Il demanda à son cocher : «Quel est cet homme? – C'est un religieux errant. – Qu'appelle-t-on un religieux errant? – Il s'est bien dompté lui-même, il a des manières dignes, il se conduit toujours avec patience et compassion envers les êtres. C'est pourquoi on l'appelle religieux errant.» Quand il eut entendu cela, le Bodhisattva s'écria trois fois : «Très bien!» Ayant réfléchi à cela, il devint joyeux. Aussitôt, il descendit de son char, rendit hommage à l'ascète et lui demanda : «Pourquoi ton aspect et tes vêtements sont-ils différents de ceux des gens qui vivent dans le monde?» De nouveau, le Bodhisattva s'écria trois fois : «Très bien!» Ayant réfléchi à cela, il devint joyeux. Il remonta sur son char et se dirigea vers le palais. Il y avait une femme qui, voyant par hasard le Bodhissattva, eut une pensée d'amour pour lui et prononça cette stance :
«Heureuse la mère qui possède un tel fils!
«Bienheureux aussi son père!
«Heureuse la femme qui possède un tel époux!
«Il atteindra le Nirvâna!»

Lorsqu'il entendit prononcer le nom de Nirvâna, le Bodhisattva bondit de joie et pensa : «Obtiendrai-je moi-même ce Nirvâna suprême?» De retour au palais, il réfléchit sur le fait qu'il n'était pas encore libéré des lois de la naissance, de la vieillesse, de la maladie et de la mort. Le roi demanda au cocher : «Le prince est-il content de sa promenade, aujourd'hui? – Au début de la promenade, il ne fut pas joyeux, mais au retour, il fut très heureux. – Pourquoi donc? – Durant sa promenade, il vit par hasard un mort, et c'est pourquoi il ne fut pas joyeux. Au retour, il vit un moine mendiant, et c'est pourquoi il devint tout heureux.» Le roi pensa de nouveau : «Les devins ont dit la vérité : il quittera certainement la vie de famille.» Alors, il fit augmenter encore les plaisirs diurnes et nocturnes des cinq sens.

Vinayapitaka des Mahîçâsaka,
in A. Bareau, *En suivant Bouddha,*
Philippe Lebaud, Paris, 1985

La pratique des austérités

Tirée du Vinayapitaka d'une secte issue, comme la précédente, de l'école Sarvâstivâdin, cette version de l'abandon de la pratique des austérités semblerait la plus proche de la réalité des faits. N'interviennent ni les dieux ni la mère du Bodhisattva re-née parmi eux. Mais l'absence de tout merveilleux et de toute émotion répond-elle à l'attente des fidèles? On peut en douter, car elle n'a jamais inspiré les artistes.

Il y avait alors cinq hommes qui suivaient le Bodhisattva en pensant que, si ce dernier trouvait la Voie, il leur en prêcherait la Doctrine. A Uruvilvâ habitaient quatre femmes, nommées Balâ, Utpalâ, Sundarâ et Kumbhakârî, qui étaient toutes attachées au Bodhisattva par la pensée et qui se disaient : «Si le Bodhisattva quitte son foyer pour rechercher la Voie, nous deviendrons ses disciples. S'il reste à son foyer pour mener la vie laïque ordinaire, nous deviendrons ses épouses ou ses concubines.»

Dès que le Bodhisattva fut arrivé à ce village, il commença à y pratiquer des austérités et il s'y exerça pendant six ans. Malgré cela, il ne put voir de ses propres yeux la Doctrine suprême de la connaissance sainte. Alors, il se souvint : «Autrefois, lorsque je demeurais chez le roi mon père, un jour où j'étais assis sous un jambosier, je me débarrassai des pensées de désir et des autres choses mauvaises et vicieuses, et je demeurai alors plongé dans la première méditation, pourvue de raisonnement et de réflexion, pleine de joie, de bonheur et de pensée unifiée.» Le Bodhisattva eut encore cette pensée : «En suivant cette voie de la méditation, peut-on vraiment tarir la source des douleurs?» Et cette réponse s'imposa à sa pensée : «Oui, on peut tarir la source des douleurs par cette voie.» Aussitôt, utilisant la force de son énergie, il cultiva et pratiqua cette connaissance et, en suivant cette voie, il put effectivement tarir la source des douleurs. Alors, le Bodhisattva pensa encore : «Est-ce au moyen des désirs et des autres choses mauvaises que l'on obtient ce bonheur?» et il reconnut : «Non, ce n'est pas au moyen des désirs et des choses mauvaises que l'on obtient ce bonheur.» Il eut encore cette pensée : «Est-ce bien en pratiquant l'absence de désir et en abandonnant les choses mauvaises que j'obtiendrai ce bonheur? Ce n'est certainement pas en infligeant des souffrances à mon corps que je j'obtiendrai. A présent, ne vaut-il pas mieux pour moi manger un peu de riz bouilli et de bouillie de grains grillés pour acquérir des forces suffisantes?» Peu après, le Bodhisattva, abandonnant définitivement le jeûne très sévère qu'il avait pratiqué jusque-là, mangea un peu de riz et de bouillie de grains grillés afin d'acquérir des force suffisantes.

Dès qu'il eut pris ainsi un peu de nourriture, les cinq hommes qui le suivaient furent complètement déçus et ils le quittèrent en se disant mutuellement : «L'ascète Gautama est insensé, stupide, il a perdu la Voie. N'existe-t-il donc pas une Voie de la Vérité?» et ils partirent sur-le-champ.

Vinayapitaka des Dharmaguptaka,
in A. Bareau, *op. cit.*

Les pèlerins chinois

Dès le IIIᵉ siècle, les bouddhistes chinois se rendirent dans «les contrées occidentales» pour y «chercher la Loi». Empruntant la voie des oasis ou, plus rarement, celle des mers du Sud, leurs voyages, interrompus par une proscription passagère du bouddhisme (845), reprirent en 966 et se poursuivirent jusque vers le milieu du XIᵉ siècle.

Où naquit le Bouddha Çâkyamuni

Né dans une famille de lettrés du Henan, Xuanzang (602-664) entra au monastère dès l'âge de douze ans et reçut l'ordination complète à vingt ans. Maître en étude des deux Véhicules, il décida de se rendre en Inde pour y recueillir les textes et les enseignements qui lui manquaient. Il y passa dix-neuf années, séjourna au monastère de Nâlandâ et rentra en Chine en 645, rapportant 657 ouvrages, des reliques et des images. Passant le reste de sa vie à traduire les textes rapportés, il relata son voyage dans le Mémoire sur les contrées occidentales, *dont on possède deux recensions dues à ses disciples.*

Le royaume de Jie Bi Luo Fa Su Du [*Kapilavastu, à 240 kilomètres au nord de Bénarès, ville natale du Bouddha Çâkyamuni*] a environ quatre mille li de tour. Il y a dix villes désertes qui offrent un aspect sauvage. La ville royale est en ruines, et l'on ne sait plus qu'elle était l'étendue de son circuit. Le palais qui existait dans l'intérieur de la capitale avait quatorze à quinze li de tour. Il était entièrement construit en briques. Ses restes sont encore hauts et solides; il est désert depuis des siècles. Les villages sont médiocrement peuplés; il n'y a point de roi, seulement chaque ville a un chef particulier. La terre est grasse et fertile, les semailles et les récoltes ont lieu à des époques régulières; les saisons ne se dérangent jamais. Jadis, il y avait environ mille couvents dont les ruines subsistent encore.

A côté du palais, on voit un couvent renfermant une trentaine de religieux de l'école des Sammatîya, qui se rattachent au Petit Véhicule. Il y a deux temples de dieux; les hérétiques habitent pêle-mêle.

Dans l'intérieur du palais, il y a d'anciens fondements. C'était là qu'était le palais principal du roi Çuddhodana [*le père du Bouddha*]. Par-dessus ces fondements, on a bâti un vihâra, au centre duquel s'élève la statue du roi. [...]

A côté, il y a un vihâra. Ce fut en cet endroit que Çâkyamuni descendit dans le sein de sa mère. Au centre, on a représenté le Bodhisattva au moment où il descend pour s'incarner. Suivant l'école des Aryasthâvirâh [*les Anciens*], le Bodhisattva s'est incarné dans la nuit du trentième jour du mois Uttarâshâdhâ, qui répond, en Chine, au quinzième jour de la cinquième lune. Mais, suivant les autres écoles, il s'est incarné dans la nuit du vingt-troisième jour de ce même mois, qui répond, chez nous, au huitième jour de la cinquième lune.

Au nord-est de l'endroit où le Bodhisattva descendit dans le sein de sa mère, il y a un stûpa. Ce fut dans cet endroit que le Rishi Asita tira l'horoscope de ce prince royal. [...]

Devins et heureux présages

Le jour où le Bodhisattva vint au monde, on vit apparaître un grand nombre d'heureux présages. En ce moment, le roi Çuddhodana appela des devins, et leur dit : «Voici un enfant qui vient de naître; quelles seront ses bonnes et ses mauvaises qualités? Recueillez votre esprit et répondez clairement.

– D'après les prédictions des premiers saints, lui répondirent-ils, et par suite des heureux présages qui ont éclaté à sa naissance, s'il reste dans la maison, ce sera un saint roi Cakravartî [*monarque tout-puissant*]; s'il quitte la famille pour embrasser la vie religieuse, il doit obtenir l'Intelligence accomplie.»

Dans ce temps, Asita arriva d'un pays lointain. Il frappa à la porte et demanda audience. Le roi en fut enchanté; il alla lui-même à sa rencontre et lui offrit ses hommages, puis l'invita à s'asseoir sur un

siège orné de pierres précieuses. «Je ne pensais pas, lui dit-il, que le grand Rishi daignerait aujourd'hui me rendre visite.

– J'étais tranquillement assis dans la plaine des dieux, répondit-il, lorsque tout à coup je vis la multitude des dieux bondir d'allégresse.

– D'où viennent, leur demandai-je, ces transports d'allégresse?

– Grand Rishi, répondirent-ils, il faut que vous sachiez que, dans l'île de Jambudvîpa, la première femme du roi Suddhodana, qui est de la race des Çâkya, a mis au monde, aujourd'hui même, un prince royal qui doit obtenir l'Intelligence accomplie, et posséder toute sorte de prudence. Après avoir appris cet événement, j'ai accouru chez vous pour le contempler ; mais une chose m'afflige, je suis vieux et décrépit, et je ne verrai point les saintes influences de sa vertu.» [...]

Devadatta et l'éléphant

A la porte méridionale de la ville, il y a un stûpa. Ce fut en cet endroit que le prince royal lutta pour la force avec les Çâkya et lança en l'air un éléphant. Le prince royal, par son habileté dans les arts et ses talents nombreux, l'emportait sur tous ses semblables.

Le fils du grand roi Çuddhodana, le cœur rempli d'allégresse, se disposait à s'en retourner. Son cocher lui amena un éléphant. Au moment où il allait sortir de la ville, Devadatta, qui était fier de sa force, arriva de dehors et interrogea le cocher : «Qui est-ce qui veut monter cet éléphant si richement paré?

– Le prince royal, répondit-il, est sur le point de s'en retourner. C'est pourquoi je vais le trouver et lui amène cet éléphant.»

Devadatta, transporté de fureur, entraîna l'éléphant, le frappa au front et lui lança des coups de pieds dans la poitrine. L'éléphant tomba et obstrua le chemin, de sorte qu'il était impossible de passer. Comme il ne se trouvait personne qui pût l'ôter de là, la multitude des hommes se trouvait arrêtée.

Sundarananda, étant arrivé quelque temps après, demanda qui avait tué cet éléphant.

«C'est Devadatta», lui répondit-on. Il traîna alors l'éléphant en dehors du chemin. Le prince royal étant arrivé à son tour, demanda qui avait commis cette mauvaise action et tué cet éléphant.

On lui répondit : «C'est Devadatta qui l'a tué pour obstruer la porte de la ville. Sundarananda l'a traîné et a débarrassé le chemin.»

Le prince royal enleva alors l'éléphant et, l'ayant lancé dans les airs, le fit passer par-dessus les fossés de la ville. A l'endroit où tomba l'éléphant, la terre s'enfonça, et il se forma une fosse profonde, que, depuis cette époque, la tradition a continué d'appeler la «fosse de l'éléphant». [...]

Lieux du nirvâna

Dans le royaume de Ju Shi Na Jie Luo [*Kuçinagara*], les murs de la capitale sont en ruines, les villages n'offrent qu'une triste solitude. Les fondements en briques de l'antique capitale occupent un circuit d'une dizaine de li. Les habitants sont rares et disséminés, les bourgs et les hameaux sont déserts.

A l'angle nord-est des portes de la capitale, il y a un stûpa qui a été bâti par le roi Açoka. Là est l'antique maison de Cunda [*le forgeron qui offrit au Bouddha son dernier repas avant qu'il entre dans le Nirvâna*]. Au milieu de cette maison, il y a un puits qui a été creusé lorsqu'on voulut faire des offrandes au stûpa. Quoiqu'il se soit écoulé depuis bien des mois et des années, l'eau est encore pure et limpide. A trois ou quatre li au nord-ouest de la capitale, on passe le fleuve A Shi Duo Fa Di [*Ajitavatî*].

A une petite distance de la rive occidentale, on arrive à une forêt

Vue de Kuçinagara, le lieu du nirvâna.

d'arbres sâla. Cet arbre ressemble au hu [chêne], mais son écorce est d'un blanc verdâtre et ses feuilles sont lisses et brillantes. On voit quatre de ces arbres qui ont une élévation extraordinaire. [...]

L'Honorable du siècle, animé d'une grande pitié et obéissant à l'ordre des temps, jugea utile de paraître dans le monde. Quand il eut fini de convertir les hommes, il se plongea dans les joies du Nirvâna. Se plaçant entre deux arbres sâla, il tourna la tête vers le nord et s'endormit. Alors les génies, armés d'une massue de diamant, voyant le Bouddha entrer dans le Nirvâna, s'abandonnèrent à la douleur, et s'écrièrent à haute voix : «*Ru lai* nous abandonne; il est entré dans le grand Nirvâna. Nous restons sans protecteur et sans appui! Une flèche empoisonnée nous a percé le sein, et le feu de la douleur nous brûle et nous consume.»

A ces mots, ils lâchèrent leur massue de diamant, et tombèrent à terre, suffoqués par la douleur. Longtemps après, ils se relevèrent et, le cœur plein de tristesse et d'amour, parlèrent ainsi entre eux : «Pour traverser la vaste mer

de la vie et de la mort, qui est-ce qui nous servira de nacelle et de rames? Pour marcher dans les ténèbres d'une longue nuit, qui est-ce qui sera désormais notre lampe et notre flambeau?» [...]

Disputes autour des reliques

Après que le Bouddha fut entré dans le Nirvâna et que son corps eut été brûlé, les rois de huit royaumes arrivèrent avec quatre corps de troupes. Ils envoyèrent un Brâhmane nommé Rijûbhava, pour dire aux Malla : «Dans ce royaume, le guide des hommes s'est éteint dans le Nirvâna; c'est pourquoi nous sommes venus de loin pour vous demander une partie de ses reliques.

– Le Tathâgata, répondirent les Malla, a daigné abaisser sa grandeur et descendre dans ce pays infime. Il s'est éteint dans le Nirvâna, le guide éclairé du monde! Il est mort, le tendre père des hommes! Les reliques de *Ru lai* doivent naturellement recevoir des hommages; mais c'est en vain que vous avez fait un pénible voyage; vous n'en obtiendrez jamais.»

Alors les grands rois leur en demandèrent d'une voix humble. Se voyant accueillis par un refus, ils réitérèrent leurs instances et dirent : «Puisque nos prières respectueuses ne sont pas agréées, notre puissante armée n'est pas loin.»

Mais le Brâhmane Rijûbhava éleva la voix et leur dit : «Réfléchissez bien; l'Honorable du siècle, qui était doué d'une tendre pitié, s'est montré humain et a pratiqué la vertu; sa renommée retentira jusque dans les kalpa les plus éloignés : c'est, je pense, ce que vous savez tous. Si, aujourd'hui, nous recourez à la violence, c'est une chose tout à fait injuste. Maintenant voici les reliques; il faut les diviser en huit parts égales, afin que chacun de vous puisse les honorer. Pourquoi aller jusqu'à employer la force des armes?»

Les Malla obéirent à ses paroles, et se disposèrent aussitôt à diviser les reliques en huit parts. Mais le maître des dieux, Indra, parla ainsi aux huit rois : «Les dieux doivent aussi avoir leur part; gardez-vous d'abuser de votre puissance pour les leur disputer.»

Les rois des dragons, Anavatapta et Elâpattra, délibérèrent à leur tour, et dirent : «Ne nous oubliez pas dans le partage. Si vous employez la force malgré votre multitude, nous ne saurions lutter avec nous.»

Le Brâhmane Rijûbhava leur dit : «Ne vous disputez pas avec tant de bruit. Il faut que vous donniez à tous une part égale de reliques.» Alors il fit trois parts égales : l'une pour les dieux, la seconde pour la multitude des dragons, et il laissa la troisième pour les hommes.

Les huit rois, ayant obtenu une double part, les dieux, les dragons et les rois des hommes en éprouvèrent une profonde douleur.

in L'Inde du Bouddha vue par des pèlerins chinois, Calmann-Lévy, Paris, 1968

Apparence et images du ou des Bouddha

Trente-deux marques, témoignant de leur prééminence, caractérisent les monarques universels et les Bouddha. Mais seuls ces derniers portent l'ajustement monastique et accomplissent des gestes évoquant les grands moments de leur carrière ou leur identité.

Les marques de l'Homme éminent témoigneraient, par leur apparition progressive, des mérites acquis, de manière irréversible, au cours des existences successives. Ainsi les textes nous apprennent que le Bouddha avait reconnu les qualités de Mahâkâçyapa au fait qu'il possédait déjà sept de ces marques. Au Tibet, de nos jours encore, le futur successeur d'un Dalaï Lama est choisi en fonction des «marques» qu'il possède.

Caractères physiques des Bouddha

Le corps des Buddha présente les 32 signes caractéristiques du *mahâpurisa*. Les listes de ces signes concordent dans le *Lalitavistara* et la *Mahâvyutpatti* avec menues variantes et diffèrent de celle des *Theravâdin* donnée dans un tout autre ordre avec d'assez nombreuses divergences de détail. Cette dernière liste (*Mahâpadânasutta*) est la suivante (avec termes correspondants de la *Mahâvyutpatti* pourvus de leurs numéros d'ordre). Le Buddha a :

1. Les pieds bien posés, *suppatitthapâda* (30, *supratisthitapâda*);
2. Des roues sous les plantes des pieds, *hetthâ pâdatalesu cakkâni* (29, *cakrânkitahastapâda*, «ayant des roues marquées aux mains et aux pieds»);
3. Les talons larges, *âyatapanhin* (31, *âyatapâdapârshni*);
4. Les doigts longs, *dîghangulin* (28, *dîrghânguli*);
5. Les mains et les pieds doux et délicats *mudutalunahatthapâda* (26, *mrdutarunahastapâda*);
6. Les mains et les pieds (couverts) de réseaux, *jâlahatthapâda* (27, *jâlâvanaddhahastapâda*);
7. Des pieds à chevilles hautes, *ussankhapâda* (25, *utsangapâda*);
8. Des jambes d'antilope, *enijangha* (32,

aineyajangha);

9. Lorsqu'il est debout, sans se pencher, de ses deux mains il touche et frotte ses genoux, *thitako va anonamanto ubhohi pânitalehi jannukâni parimasati parimajjati* (18, *sthitânavanatapralambabâhutâ*, «les bras pendants sans se pencher étant debout»);

10. Il a ce qui est caché par le vêtement enfoui dans une gaine, *kosohitavatthaguyha* (23, *koçopagatavastiguyha*, «la région vésicale et ce qui est à cacher engainés»).

11 et 12. Un teint d'or avec une couleur d'or et une peau fine *suvannavanna kâñcanasannibhataca* et *sukhumacchavin* (17, *sûkshmasuvarnacchavi*);

13. Les poils un par un, *ekekaloma* (21, *ekaikaromapradakshinâvarta*, ... et tournés à droite);

14. Les poils à pointe en l'air, *uddhaggaloma* (22, *ûrdhvagaroma*, les poils allant en haut);

15. Les membres rectilignes de Brahman, *brahmujjugatta*;

16. Sept protubérances (aux mains, pieds, épaules et à la ramification du tronc) *sattussada* (15, *saptotsada*);

17. Le corps avec une moitié antérieure de lion, *sîhapubbaddhakâya* (19, *simhapûrvârdhakâya*);

18. Les aisselles remplies, *citantaramsa* (16, *citântarâmça*);

19. La rotondité d'un banian, *nigrodhaparimandala* (20, *nyagrodhaparimandala*);

20. Les ramifications du tronc régulièrement arrondies, *samavattakkhandha* (14, *susamvritaskandha*);

21. La finesse supérieure du goût, *rasaggasaggin* (10, *rasarasâgratâ*, «finesse de goût pour les goûts»);

22. Une mâchoire de lion, *sîhahanu* (11, *simhahanu*);

23. Quarante dents, *cattâlîsadanta* (6, *catvârimçaddanta*);

24. Des dents égales *samadanta* (7, *id.*);

25. Des dents sans interstices, *aviraladanta* (8, *id.*);

26. Des dents bien blanches, *susukkadâtha* (9, *suçukladanta*);

27. La langue large, *pahûtajivha* (12 *prabhûtatanujihva*, «large et mince»);

28. La voix de Brahman, *ḅrahmassara* (13, *brahmasvara*);

29 et 30. Les yeux très noirs, *abhinîlanetta*, et des sourcils de vache *gopakhuma* (5, *abhinîlanetragopakshma*);

31. Une touffe, *unnâ*, blanche entre les sourcils (4, *ûrnâ*);

32. Une tête à protubérance, *unhîsasîsa* (1, *ushnîshaçirsha*).

[...] Les diverses traditions ajoutent aux trente-deux signes caractéristiques quatre-vingts «marques supplémentaires» (*anuvyañjana, dpe-byad bzan-po* «bonnes harmonies»). Ces marques supplémentaires sont pour la plupart moins spéciales au Buddha que les précédentes; beaucoup peuvent être des traits de beauté chez des hommes ordinaires, ce qui justifie la division en deux listes de l'ensemble des caractères physiques des Buddha. Les marques du pied qui se trouvent sous la plante sont encore comptées à part et consistent en un nombre variable de figures linéaires symboliques de bon augure (roue, svastika, etc.) et ne sont connues que dans la tradition des Theravâdin.

In Filliozat, *L'Inde classique*,
EFEO, Imprimerie nationale, 1953

Les gestes du Bouddha

D'un long refus de toute représentation humaine du Buddha, refus responsable de la savoureuse – et souvent fort savante – imagerie aniconique, le bouddhisme semble avoir hérité un sens aigu de la sainteté des images du Bienheureux. Ce caractère sacré des figures, peintes ou sculptées, devait imposer, à toutes les sectes, le respect de tout un ensemble de règles précises concernant aussi bien la représentation que l'exécution des images du Buddha.

D'une manière générale, l'image du ou des Buddha (le Buddha historique, les Buddha du Passé et même les Buddha transcendants propres au Mahâyâna) est définie par tout un ensemble de caractéristiques physiques originales, par un ajustement monastique particulier présentant certaines stylisations et par des attitudes et des gestes plus ou moins codifiés.

Apparentes dès sa naissance, les caractéristiques physiques d'un Buddha sont quelques-unes – toutes n'étant pas exprimables plastiquement – des marques (*lakshana*) du Grand Homme, de l'homme éminent entre tous, Prédestiné distingué des êtres du commun, appelé à devenir, grâce aux

mérites accumulés au cours d'innombrables existences antérieures – et dont les *lakshana* portent d'ailleurs témoignage – soit un monarque universel, soit un Buddha. Si, pour les artistes, la manière d'interpréter ces

Debout (à gauche) ou assis les jambes pendantes, à l'«européenne» (ci-dessus), les attitudes du Bouddha sont très strictement codifiées.

marques peut varier avec le temps et avec les écoles, il n'en reste pas moins que certaines d'entre elles ont pris une véritable valeur signalétique (protubérance crânienne ou *ushnîsha* et chevelure régulièrement bouclée, par exemple). [...]

Attitudes et gestes sont, en principe, inséparables, étant bien entendu qu'un certain nombre de gestes ne sauraient être accomplis que dans une attitude déterminée. [...] Nous ne retiendrons ici que les *quatre attitudes* dans lesquelles peut être figuré un Buddha. Ce sont celles dans lesquelles il s'est manifesté, sous formes apparitionnelles, lors du Grand Prodige magique de Çrâvastî destiné à confondre les Hétérodoxes, et ce sont les seules autorisées aux religieux par la bienséance : debout, marchant, assis, couché. Si l'attitude de la marche n'a été que rarement utilisée dans la sculpture (par exemple en Thaïlande, école de Sukhothai, d'une manière idéalisée, ou en Birmanie, école de Pagan, d'une manière plus stylisée) et si l'attitude couchée est réservée surtout, mais non exclusivement, à la représentation de la Grande totale Extinction (Mahâparinirvâna), les attitudes debout et assise jouent un rôle beaucoup plus important. Cette dernière est, d'ailleurs, diversement interprétée : posture indienne, jambes croisées de manières variées, ou posture «européenne», les deux jambes pendantes; seule l'attitude dite de délassement, une jambe repliée, l'autre pendante, si fréquente pour les divinités brahmaniques et si volontiers utilisée pour les Bodhisattva, ne saurait être retenue pour un Buddha. Associées à un ensemble de gestes appropriés plus ou moins fixés, ces attitudes permettent de représenter, ou à tout le moins d'évoquer, la plupart des événements les plus marquants de la vie du Buddha, du moins à partir de son Renoncement à la vie mondaine (Grand Départ et abandon des parures princières) et de la quête de l'Eveil jusqu'au Mahâparinirvâna.

Un choix de gestes bien définis devrait ainsi permettre, en principe, de reconnaître dans une scène narrative, peinte ou sculptée, ou même dans une image isolée, les moments les plus mémorables de la carrière du Buddha. [...]

Si la liste et la désignation des gestes (skt. *mudrâ*) reste la même, quelle que soit l'orientation sectaire, il nous faut néanmoins souligner que le bouddhisme theravâdin – alias Petit Véhicule, par opposition et avec une nuance péjorative au Mahâyâna, Grand Véhicule – a toujours ignoré leur définition et même l'acceptation du terme (p. *muddâ*). Nous observerons encore que le rôle et la fonction impartis aux *mudrâ* diffèrent profondément selon que tel geste particulier est utilisé pour évoquer un moment plus ou moins précis de la vie du Buddha historique ou pour caractériser, dans le Mahâyâna, l'un des Buddha transcendants.

Jean Boisselier,
Grammaire des formes et des styles. Asie,
Bibliothèque des Arts, Paris, 1978

La liste traditionnelle des Mudrâ

Parmi une liste bien plus longue qui doit permettre de décrire aussi bien des Bodhisattva et des divinités de tout rang que des religieux, six *mudrâ* seulement ont été retenues et considérées comme spécifiques des Buddha, liste étonnamment restrictive si l'on se réfère au seul témoignage de l'art, mais où, pourtant, deux gestes seulement peuvent être rapportés sans ambiguïté à des miracles précis. Voici la liste popularisée par tous les manuels :

– *Dhyâna mudrâ* : «sceau» de la méditation, de la concentration mentale (on dit aussi : attitude de *samâdhi*, le *samâdhi* étant le point culminant de la discipline de l'esprit). L'image,

normalement assise à l'indienne, le corps bien droit, est représentée avec les deux mains reposant à plat, l'une sur l'autre, dans le giron. C'est, en principe, l'évocation de l'Acquisition de l'Eveil mais toute méditation du Buddha impose le choix du même geste. […]

– *Varada mudrâ* : «sceau» de la charité, du don, de la faveur, octroyée ou reçue (on dit aussi *vara mudrâ*, *vara* signifiant choix, objet qu'on choisit). Le bras droit est allongé vers le bas, main en supination, paume offerte, doigts plus ou moins étendus.

– *Abhaya mudrâ* : «sceau» de l'absence de crainte (*bhaya* : peur, crainte, effroi, péril; *a* : préfixe privatif); en accord avec l'étymologie, le geste peut signifier, tout ensemble, «qui ne craint point» (p. ex. lors de l'assaut des armées de Mâra) et «qui apaise, calme» (p. ex. lors de la querelle entre les Koliya et les Çâkya). L'avant-bras droit ployé à angle plus ou moins droit, la main en pronation est présentée paume offerte, doigts étendus et dirigés vers le haut. […]

– *Vitarka mudrâ* : «sceau» du raisonnement, de l'exposition (on dit aussi *vyâkhyâna* : exposition, récit : *cin* : pensée, réflexion). En principe, l'avant-bras droit est replié comme ci-dessus mais il tend parfois à se rapprocher davantage du corps; la main est présentée de la même manière mais les doigts sont légèrement ployés et le pouce et l'index sont joints. Le geste peut être accompli par des images assises (à l'indienne ou à l'européenne) ou par des images debout.

La main gauche tient alors le pan du vêtement ou, dès la période pâla-sena, accomplit le même geste que la main droite mais est dirigé vers le bas. [...]

– *Dharmacakra mudrâ* : «sceau» de la Roue de la Loi (ou mieux, *dharmacakra*

pravartana mudrâ : sceau de la mise en mouvement de la Roue de la Loi). En accord avec la désignation, c'est, par excellence, le geste symbolisant le Premier Sermon («Mise en branle de la Roue de la Loi) prononcé à Sârnâth, près de Benarès, sur le site de Rishipatana (p. Isipatana), au Parc des Gazelles, mais il peut aussi représenter le Grand Prodige magique de Srâvastî; d'où, pour les artistes, la nécessité de préciser la scène par un contexte narratif ou symbolique. Le geste consiste à ramener les deux mains devant la poitrine, l'une et l'autre dans le même mouvement que dans la *vitarka mudrâ* mais à cette réserve que la main gauche vient s'appuyer, de l'extrémité des doigts, contre la paume de la main droite. [...]

– *Bhûmisparça mudrâ* : «sceau» de toucher la terre (on dit aussi *bhûsparça*, *bhû* : terre), plus souvent désigné «geste de la prise de la Terre (déifiée) à témoin», référence au Prodige consacrant la défaite de Mâra, ou «geste du Mâravijaya», la Victoire sur Mâra, qui est la signification précise, et unique, du geste, impliquant une idée

Bouddha laotien «prenant la Terre à témoin».

d'imperturbabilité. Le geste, qui ne peut être accompli que par une figure assise à l'indienne, consiste à effleurer le siège de l'extrémité des doigts de la main droite allongée sur la cuisse droite, plus ou moins près du genou; la main gauche repose dans le giron.

Jean Boisselier,
La Grammaire des formes

Du bouddhisme ancien au Mahâyâna

« Les doctrines des écoles anciennes ont préparé, par leurs tendances et leurs spéculations, la conception d'un mode supérieur de progression vers le salut [...] dépassant l'ancien mode de progression, lourde discipline technique. »

J. Filliozat

Gravure chinoise illustrant le monde du Dharma.

Après le Mahâparinirvâna, les diverses communautés, désormais privées des explications que leur avait données le Bouddha et ne disposant pas encore de recensions écrites, ont tendu à donner à l'Enseignement leur interprétation propre, surtout en approfondissant l'«analyse de la Loi» et tout ce qui relevait de l'Abhidharma – «retour technique sur la Loi». C'est ainsi que devaient naître et se multiplier, dès avant les débuts de l'ère chrétienne, les doctrines relevant du Mahâyâna.

Méditer sur le Triple Joyau

Dès une époque fort ancienne, le bouddhisme a Trois Joyaux : le Bouddha, la Loi (*dharma*) et la Communauté (*samgha*) qu'il entoure d'une même vénération. Le Buddha est l'omniscient qui a découvert les vérités saintes; la Loi est la doctrine et la discipline religieuse établies par lui; la Communauté, au sens strict, est l'ordre monastique fondé par ce même Buddha.

Au cours des cérémonies d'initiation et d'ordination, laïcs et religieux adhèrent au Triple Joyau en déclarant par trois fois : «Je prends mon refuge dans le Buddha; je prends mon refuge dans la Loi; je prends mon refuge dans la Communauté.» Il n'est point de bouddhiste authentique sans cette prise de refuge (*çaranagamana*). [...]

Les Trois Joyaux figurent en tête des sujets de commémoration (*anusmriti*) que le disciple est invité à méditer. Ces sujets sont au nombre de six, de huit ou de dix : 1. Le Buddha; 2. La Loi; 3. La Communauté; 4. Les règles de moralité; 5. Le don; 6. Les divinités; 7. Le souffle inspiré et expiré; 8. La mort; 9. Les éléments corporels; 10. La tranquillité.

Songer aux Trois Joyaux est le meilleur moyen de triompher des craintes qui assaillent le moine solitaire. C'est ce qui ressort de plusieurs textes et notamment d'un vieux *sûtra* canonique intitulé *Dhvajâgrasûtra* («Sermon sur la pointe de l'étendard»). [...]

Dans les sources canoniques auxquelles il vient d'être fait allusion, les Trois Joyaux sont brièvement évoqués en une formule identique inlassablement répétée :

«C'est lui le Tathâgata, celui qui a droit, correctement et pleinement éveillé, doué des sciences et des pratiques, le Bien allé, le connaisseur du monde, le suprême conducteur de ces êtres à dompter que sont les hommes, l'instructeur des dieux et des hommes, le Buddha, le Bienheureux.

La Loi a été bien formulée par le Bienheureux; elle est rétribuée dans l'existence présente; elle est indépendante du temps; elle demande à ce qu'on vienne l'examiner; elle conduit au bon endroit et doit être connue intérieurement par les sages.

La Communauté des disciples du Bienheureux suit le bon chemin, suit le droit chemin, suit le chemin de la méthode correcte, suit le chemin de la vie correcte. [...] Cette Communauté des disciples du Bienheureux est digne de vénération, digne d'accueil, digne d'offrandes, digne d'être saluée les mains jointes; elle est pour le monde le suprême champ de mérites.»

Telle qu'elle est, avec ses répétitions et ses obscurités, cette formule a alimenté durant des siècles la piété de millions de bouddhistes. Elle a résisté à l'usure des temps et demeure toujours valable. Mais l'interprétation qui en a été donnée a quelque peu varié selon les lieux et les époques.

C'est que le bouddhisme a pris, au cours de sa longue histoire, des tournants qui ont entraîné des changements notables dans son idéal religieux, ses opinions philosophiques et ses croyances relatives à la personne même du Buddha.

Etienne Lamotte,
«Du Petit Véhicule au Grand Véhicule»
in *Le Bouddhisme*, sous la direction
de Lilian Silburn, Fayard, Paris, 1977

Les Quatre Nobles Vérités

La doctrine du Buddha consiste, comme il l'a déclaré lui-même dans son premier sermon, en quatre «nobles vérités». La première est la constatation fondamentale de l'existence de la douleur. La douleur consiste dans la naissance, la maladie, la mort, la réunion avec ce que l'on n'aime pas, la séparation d'avec ce que l'on aime, la non-obtention de ce que l'on désire et dans ce qui se résume en cinq «ensembles à acquisition» (*upâdânakkhandha*). Cette constatation n'est pas toute simple; par la dernière indication elle se complète d'une opinion théorique attachant le caractère douloureux à tout ce qui concerne l'être matériel et spirituel tel qu'on se le représente doctrinalement, à tous les ensembles de choses auxquels il s'attache et qui l'entraînent aux naissances répétées. [...]

La vérité sur l'origine (*samudaya*) de cette douleur est la deuxième des nobles vérités. Elle consiste dans la «soif» – nous dirions les «appétits» – (*tanhâ*). Cette soif a trois formes : soif de «jouissance» (*kâma*), soif d'«existence» (*bhava*), soif d'«inexistence» (*vibhava*). La première sorte s'explique d'elle-même : les désirs sont causes de douleur parce qu'ils ne peuvent être indéfiniment satisfaits et aussi parce qu'ils attachent aux existences douloureuses. La deuxième vise l'appétit direct de ces existences. La troisième est un appétit du néant qui, pour inverse qu'il soit dans son objet, n'en est pas moins un appétit et, comme tel, un acte qui porte fruit en existence; suicide entraîne renaissance.

La troisième vérité concerne l'arrêt (*nirodha*) de la douleur qui est l'arrêt de la soif génératrice de renaissances, associée au plaisir et à la passion, cherchant çà et là un super-plaisir.

La quatrième vérité porte sur le «chemin qui mène à l'arrêt de la douleur» (*dukkhanirodhagâminî patipadâ*). Ce chemin est une «voie octuple» :
1. Vision parfaite (*sammâditthi*),
2. Représentation parfaite (*s. sankappa*),
3. Parole parfaite (*s. vâcâ*),
4. Activité parfaite (*s. kammanta*),
5. Moyen de subsistance parfait (*s. âjîva*),
6. Application parfaite (*s. vâyâma*),
7. Présence d'esprit parfaite (*s. sati*)
8. Position du psychisme parfaite (*s. samâdhi*).

La description des doctrines bouddhiques s'ordonne tout naturellement selon les quatre vérités. La représentation bouddhique de l'état des choses dans le monde est ce sur quoi se fonde la première vérité constatant la douleur. Cette représentation est une cosmologie en ce qui regarde la nature, une physiologie et une psychologie en ce qui regarde les êtres.

J. Filliozat,
L'Inde classique,
EFEO, Imprimerie nationale, 1953

L'espace est peuplé d'innombrables univers

Examinons d'abord comment le Bouddha et ses disciples se représentaient ce monde qui ressemble si fort à une prison. Dans l'espace, dont on ne peut dire s'il est fini ou infini, sont dispersés d'innombrables univers tous formés sur le même modèle. En bas se trouve le monde du désir. [...] Il a la forme d'un cylindre à axe vertical sur le cercle supérieur duquel vivent les hommes, les animaux et les divinités inférieures. Au centre de ce cercle s'élève une haute montagne le mont Meru ou Sumeru autour duquel tournent le soleil, la lune et les autres astres. A la périphérie, une chaîne de montagnes circulaire borne l'océan et empêche ainsi les eaux de celui-ci de se déverser dans l'espace. Quatre continents s'étendent au pied du mont Sumeru dans les quatre directions cardinales. Le continent méridional, le Jambudvîpa, du nom d'un arbre, le *jambu* ou rose-pommier, qui en marque le centre, est celui dont l'Inde fait partie, et il a la forme triangulaire de celle-ci. Le continent septentrional, l'Uttarakuru, est peuplé d'hommes vivant dans une félicité parfaite, dans une oisiveté entièrement exempte de soucis et de peines. Les deux autres continents, celui de l'est et celui de l'ouest, ne sont guère que des noms. A mi-pente du mont Sumeru, au sommet de celui-ci ou au-dessus, dans des palais célestes, vivent les dieux du monde du désir, notamment ceux de la vieille religion védique sur lesquels règne Indra, qui porte le nom de Çakra dans les textes bouddhiques. Dans les entrailles de la terre ou dans les intervalles entre les univers, les damnés subissent des supplices variés, de durée souvent extraordinairement longue, de même que la vie bienheureuse des dieux, mais, comme celle-ci, toujours limitée.

Au-dessus du monde du désir, à une hauteur telle que les hommes ne peuvent songer à l'apercevoir, se trouve le monde des formes, uniquement habité par des dieux au corps éthéré, plongés dans des méditations sans fin. Les quatre étages de ce monde correspondent en effet aux quatre étapes de la méditation

B as-relief de Boroboudour.

bouddhique. En pratiquant assidûment celle-ci, les moines s'assurent, entre autres avantages, la possibilité de renaître parmi ces dieux. L'étage inférieur est la demeure de Brahma qui, avec Çakra (Indra), joue un grand rôle dans la légende bouddhique. Ces dieux du monde des formes sont toute pureté et toute lumière, leur corps diaphane n'a nul besoin d'absorber des aliments et leur pensée ne saurait concevoir le moindre désir coupable. A l'abri des souillures de la naissance, ils apparaissent spontanément dans le ciel, sans avoir ni père ni mère.

Au-dessus du monde des formes, ou en dehors de l'espace, est le monde sans forme dont les quatre étages correspondent aux quatre recueillements dits immatériels. Là vivent des dieux dépourvus de corps, purs esprits absorbés, pendant toute leur vie d'une durée vertigineusement longue, dans des états psychiques extrêmement voisins de l'inconscience totale.

Telle est la prison dans laquelle les êtres vivent, changeant d'étage à chaque mort, passant de l'une à l'autre des cinq destinées des damnés, des revenants affamés errant sur ou sous la terre, des animaux, des hommes et des dieux. Voyons maintenant comment, selon le Bouddha, sont constitués ces êtres.

Impermanence des êtres et des choses

Malgré leur extrême diversité, les êtres vivants ont des caractères communs qu'ils partagent avec tous les êtres inanimés, minéraux, végétaux, idées, fonctions mentales, etc., à la seule exception du nirvâna. Tous, en effet, sont composés, et par conséquent conditionnés. Comme tels, ils ont une production, une certaine durée, un déclin ou altération et une cessation, qui sont les quatre caractéristiques communes à tous les composés. Tout ce qui est composé possède une origine et provient de conditions et de causes extérieures à lui. Tout ce qui a une origine aura nécessairement une fin. [...] L'univers lui-même, bien que sa durée soit extrêmement longue et se mesure en milliards d'années, passe par des phases de création, de développement, puis de déclin et de destruction, les agents de celle-ci étant tour à tour le feu, l'eau et le vent. Chaque être n'est donc qu'un enchaînement de phénomènes passagers qui se suivent en se conditionnant étroitement les uns les autres. Ainsi lorsqu'un homme meurt puis renaît dans le corps d'un animal, ce dernier n'est pas entièrement différent du premier puisque tout en lui, son corps, sa vie, son esprit, sa longévité, ses plaisirs et ses peines, n'a d'autres causes que les actes de l'homme qui l'a précédé. Il y a entre eux un rapport analogue à celui qui existe entre le bébé et l'adolescent, l'homme mûr et le vieillard qui ne sont ni tout à fait identiques les uns aux autres ni pourtant vraiment différents.

Donc le premier caractère des choses

Le Bodhisattva Avalokiteçvara (bois japonais du VIIe siècle).

composées est l'impermanence. Or, c'est précisément parce qu'elles sont impermanentes qu'elles sont douloureuses; c'est parce que la vie, même celle, extraordinairement longue, des dieux, s'achèvera par la mort, qu'elle est pénible; c'est parce que les êtres et les choses que l'on aime sont enlevés par la mort, parce que tout moment de bonheur est menacé par la séparation, par la maladie, par les soucis et les angoisses, que toute existence est douloureuse. Ce second caractère des choses composées, donc de nous-mêmes, aurait été, rappelons-le, le premier objet de la grande découverte du Bouddha, le problème qu'il voulut résoudre.

Douloureuses, les choses composées sont également vides, c'est-à-dire privées de tout élément stable auquel on puisse s'agripper, sur lequel on puisse construire un bonheur éternel, à l'abri des perpétuelles vicissitudes de l'existence.

André Bareau, *En suivant Bouddha*,
Philippe Lebaud, Paris, 1985

Comment, avec le temps, la Communauté se ramifia

Du vivant même du Bouddha, des tendances marginales étaient apparues au sein de quelques communautés. Nées de la mesquinerie ou des appétits de pouvoir de certains, du manque de liens entre les groupes dispersés, elles devaient croître après la disparition du Maître, motivant la convocation des premiers conciles.

Faute d'une autorité suprême définissant et imposant l'orthodoxie, le Samgha se divisa bientôt en groupes (*nikâya*), écoles ou sectes soutenant des idées différentes sur l'interprétation des enseignements du Buddha et sur leur adaptation à des circonstances nouvelles.

Une vingtaine de ces groupes se formèrent ainsi, les uns après les autres, au sein du bouddhisme antique, resté cependant fidèle aux principes de la doctrine. Un seul a subsisté jusqu'à nos jours, celui des Theravâdin, encore prospère à Sri Lanka et dans le Sud-Est asiatique. Parmi les autres, les plus importants furent ceux des Mahâsâmghika, des Vâtsiputrîya, des Sarvâstivâdin, des Sammatîya et des Mahîçasaka, des Dharmaguptaka, des Lokottaravâdin et des Pûrvaçaila. Tous ces groupes ont disparu depuis plus de dix siècles.

Tout au début de l'ère chrétienne, une nouvelle forme de bouddhisme apparaît, qui prend vite une grande ampleur. Il se nomme Mahâyâna ou «Grand Véhicule» et appelle péjorativement Hînayâna ou «Petit Véhicule» le bouddhisme de type antique. Méprisant l'idéal de l'*arhant*, qu'il juge égoïste, il engage l'adepte à suivre, au contraire, l'exemple du Buddha en devenant, dès cette vie, un *bodhisattva*, qui s'efforce, pendant d'innombrables existences, de porter à sa perfection (*pâramitâ*) la pratique des grandes vertus, en particulier du don (*dâna*) et de la sagesse (*prajñâ*). Plein d'une compassion infinie, le *bodhisattva* est toujours prêt à voler au secours de tous les êtres, en abandonnant au besoin tous ses biens et sa vie même, et à les conduire à la Délivrance, en renonçant à la sienne, qui mettrait un terme à son action salvatrice. Par sa profonde sagesse, il comprend la véritable nature des choses et des êtres, à savoir leur vacuité (*çûnyatâ*) de nature propre. A la différence de ce que fait l'*arhant*, il n'est nullement nécessaire de devenir moine pour être un *bodhisattva*. Sans cesse de vénérer le Buddha, la foule des fidèles voue un culte fervent aux *bodhisattva* et fait appel à eux en cas de besoin. Les

plus célèbres de ces sauveurs sont Avalokiteçvara, le tout-compatissant, et Maitreya, qui sera le prochain Buddha.

La recherche de la «perfection de sagesse» (prajñâ-pâramitâ) conduit vite les docteurs du Mahâyâna à approfondir la doctrine dans ce nouveau sens. Vers 200 après J.-C., Nâgârjuna donna à la thèse de la vacuité universelle des bases solides, en traquant toute notion de substance au moyen d'une dialectique extrêmement subtile; ainsi fut fondée l'époque des Madhyamaka. Deux siècles plus tard, Asanga fonda celle des Yogâcâra ou Vijñânavâdin, en instaurant un système complexe ayant pour base un idéalisme absolu, tout n'étant que pensée, ce dont on parvenait à se convaincre par la pratique assidue d'exercices spéciaux de yoga.

Au VIIe siècle, une autre forme de bouddhisme apparut, nommée Vajrayâna («Véhicule de Diamant ou du Foudre») ou, plus souvent, tantrisme, car ses livres sacrés étaient appelés *tantra*. Elle combinait la pratique du yoga avec un rituel fort compliqué, mêlé de magie, vénérant une foule de divinités, de buddha et de *bodhisattva*. Sa doctrine, ésotérique, s'appuyait sur celle d'Asanga, dont elle tirait les conséquences les plus hardies, enseignées par des sectes diverses qui prospérèrent jusqu'à la disparition du bouddhisme en Inde.

Celle-ci se produisit vers le XIIIe siècle, quand les armées musulmanes envahirent le Bengale, dernier fief du bouddhisme. En fait, celui-ci végéta encore un peu ailleurs, après une longue décadence, due à diverses causes, mal connues encore, parmi lesquelles il faut surtout compter l'ample progression de l'hindouisme, étendant peu à peu son emprise sur toute la civilisation indienne, y compris sur le bouddhisme tardif, et privant les communautés monastiques du soutien nécessaire de leurs fidèles laïcs.

André Bareau,
in *Le Grand Atlas des Religions,*
Encyclopædia Universalis, 1988

Permanence et vitalité du bouddhisme des anciens

Il y eut tout d'abord le bouddhisme des Çrâvaka (Auditeurs), ou des disciples immédiats, dont l'idéal religieux est de détourner les adeptes de la souffrance universelle pour les conduire au nirvâna et qui, du point de vue philosophique, professe l'inexistence de l'âme individuelle (*pudgalanairâtmya*) et ne reconnaît de réalité qu'aux seuls phénomènes psychophysiques de l'existence.

Les Çrâvaka, dont les origines remontent à l'apparition du Buddha Çâkyamuni, essaimèrent à travers l'Inde entière et se divisèrent bientôt […].

Cette fragmentation s'explique par des raisons géographiques et religieuses. Mais si les dix-huit sectes s'affrontèrent sur des points secondaires de doctrine, de discipline et, plus particulièrement, sur la façon de concevoir le Buddha, toutes demeurèrent fidèles à leur idéal primitif : l'accès rapide au nirvâna selon la voie tracée par Çâkyamuni.

Les dix-huit sectes n'ont pas toutes survécu aux hasards du temps, mais le bouddhisme des Çrâvaka s'est perpétué jusqu'à nos jours [… *Réunifié vers 1160 au Sri Lanka à l'initiative du roi Parakrama bâhu I (1153-1186), le Theravâda, «doctrine des anciens», demeure florissant au Sri Lanka, en Birmanie, en Thaïlande, au Cambodge et au Laos.]* Sa profession de foi à l'endroit du Triple Joyau : le Buddha, la Loi et la Communauté, demeure ce qu'elle était il y a vingt siècles et utilise toujours la formule ancienne.

Celle-ci, pour être bien comprise,

réclamait quelques explications. Elles furent codifiées, aux environs du Ve siècle de notre ère, par le grand maître cinghalais Buddhaghosa. Dans ses commentaires sur les vieux écrits canoniques et surtout dans son œuvre capitale le *Visuddhimagga*, «Chemin vers la Pureté», ce docteur reprend les susdites formules, les explique mot par mot et les éclaire par quelques citations de textes. […]

Aux débuts de notre ère, vint se juxtaposer au bouddhisme des Çrâvaka un bouddhisme d'un genre nouveau : celui des bodhissattva ou des futurs Buddha. Par opposition au premier qu'il qualifiait de Petit Véhicule (Hînayâna), il s'arrogea le titre de Grand Véhicule (Mahâyâna), c'est-à-dire de Grand Moyen de Progression. Ce mouvement qui donna naissance à une copieuse littérature, celle des *Mahâyânasûtra*, encore appelés *Vaipulyasûtra* («Textes de longs développements»), connut un vif succès en Inde avant de se répandre dans tout l'Extrême-Orient, en Asie centrale, en Chine, en Corée, au Japon et en Indochine.

Etienne Lamotte,
«Du Petit Véhicule au Grand Véhicule»
in *Le Bouddhisme, op. cit.*

Les bodhisattva et leur rôle dans le Mahâyâna

En tant qu'adeptes du Mahâyâna, les bodhisattva retardent leur entrée en nirvâna et concentrent leurs efforts sur la production de la Pensée de l'Eveil (*bodhicittotpâda*) : ils prennent la résolution d'accéder un jour au Suprême Eveil qui fait les Buddha pour se consacrer indéfiniment au bien et au bonheur de tous les êtres.

Ce Suprême Eveil – ou cette Illumination, comme on dit parfois –

S tatues des «mille transormations» du Bouddha (Corée, VIIIe siècle).

consiste à connaître toutes les choses, non plus seulement dans leurs trois caractères généraux – l'impermanence, la douleur et l'impersonnalité, – mais encore sous leurs innombrables aspects : il ne s'agit plus seulement d'une science, mais d'une omniscience, d'une connaissance universelle.

Toutefois, selon le Mahâyâna, les choses sont dépourvues de nature propre et de caractères et, en conséquence, échappent à toute naissance et à toute destruction. Non contents de proclamer, avec les Srâvaka, l'impersonnalité des phénomènes psychophysiques de l'existence, les bodhisattva déclarent ces phénomènes absolument inexistants ou existant seulement dans la pensée des sujets conscients. En un mot, selon cette optique nouvelle, le rejet de l'individu (*pudgalanairâtmya*) déjà professé par les Çrâvaka doit être complété par le rejet des choses (*dharmanairâtmya*).

Ne plus voir les personnes et les choses n'empêche nullement le bodhisattva de se consacrer au bien et au bonheur universel, car si son activité altruiste est condamnée du point de vue absolu (*paramârtha*), elle se justifie du point de vue pratique (*samvriti*). A la sagesse qui l'empêche de voir et de concevoir, le bodhisattva allie une grande habileté en moyens salvifiques (*upâyakausalya*) qui le rend suprêmement bienfaisant.

Etienne Lamotte,
«Du Petit Véhicule au Grand Véhicule»
in *Le Bouddhisme, op. cit*

L'expansion du bouddhisme en Asie

Enseignée par les moines partout où ils circulaient, la Doctrine du Bouddha fit l'objet d'interprétations diverses, selon les langues et les cultures locales. La tendance s'amplifia lorsque les nouvelles communautés entreprirent à leur tour de propager cette doctrine diversifiée vers d'autres terres de mission.

La diffusion du bouddhisme

Contrairement à l'hindouisme, le bouddhisme est une religion missionnaire puisque c'est un devoir de faire le don de la Loi. De plus, il n'a jamais eu d'attachement pour une langue considérée comme sacrée, à l'inverse de l'hindouisme qui conserve le sanskrit intact : les moines s'attachèrent à traduire les paroles du Buddha dans toutes les langues où ils devaient prêcher; seule l'interprétation devait rester fidèle. C'est pourquoi le bouddhisme put se diffuser à travers l'Asie dans l'un des plus puissants mouvements de civilisation qu'ait connus l'humanité. [...]

Dès les débuts de notre ère, partant du Cachemire, il gagna les royaumes grecs (au nord de l'actuel Pakistan et de l'Afghanistan) : l'art gréco-bouddhique y fleurit et des artistes y sculptèrent pour la première fois des statues du Buddha. Il atteignit les limites du monde iranien et, suivant des courants commerciaux importants, la «route de la soie», parvint aux oasis d'Asie Centrale dont les populations alliaient les cultures iranienne, indienne et hellénique en une civilisation extrêmement raffinée : les études sanskrites aussi y étaient de tout premier ordre. A partir de là, le bouddhisme put se répandre en Chine.

[Si les relations de la Péninsule indochinoise avec le subcontinent indien semblent attestées dès le Ve-IIIe siècle av. J.-C., ce n'est que vers les IIIe et Ve siècles de notre ère que celle-ci joue le rôle d'intermédiaire privilégié dans le développement des relations de la Chine méridionale et de l'Inde. Vers le Ve siècle, ces contacts prennent toute leur importance autour de la Péninsule malaise centrale, gagnant toutes les contrées bordant la mer de Chine du Sud.]

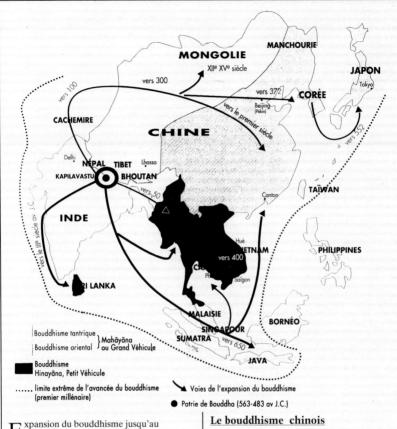

Bouddhisme tantrique
Bouddhisme oriental } Mahāyāna ou Grand Véhicule

■ Bouddhisme Hinayāna, Petit Véhicule

..... limite extrême de l'avancée du bouddhisme (premier millénaire)

➤ Voies de l'expansion du bouddhisme

● Patrie de Bouddha (563-483 av J.C.)

Expansion du bouddhisme jusqu'au Ier millénaire.

Quant au Viêt-nam, l'action missionnaire s'y développa dès la fin du IIe siècle, grâce à des moines venus de l'Inde par la mer et qui y faisaient escale dans leur route vers la Chine; pendant ce temps, le bouddhisme arrivait par voie de terre par l'intermédiaire de l'influence chinoise.

Murielle Moullec, in *Le Bouddhisme*, sous la direction de Lilian Silburn, Fayard, Paris, 1977

Le bouddhisme chinois

Le bouddhisme, seule religion étrangère à avoir eu un impact aussi profond sur la civilisation chinoise, a été transmis et assimilé, essentiellement sous sa forme mahâyânique, au cours d'un long processus qui s'étend du IIe au VIIIe siècle environ, et qui fut le produit de plusieurs interactions : d'une part, l'arrivée de missionnaires étrangers qui affluèrent sans cesse vers les capitales successives, venant de l'Inde, de Parthie, de Bactriane, de Sogdiane et des cités-

B ouddhas sculptés dans le roc, en Chine (cave de Yung Kang, Vᵉ siècle).

oasis de l'actuel Turkestan chinois; d'autre part, les réactions à cet enseignement des convertis chinois, qui ne tardèrent pas à former des communautés monacales, aidant d'abord aux traductions, puis élaborant leurs propres interprétations et doctrines, se rendant parfois, à leur tour, dans les contrées occidentales à la recherche de traditions plus authentiques. Il y eut aussi la réaction des tenants des deux grands systèmes traditionnels, le confucianisme et le taoïsme, et enfin le jeu des différents pouvoirs politiques, qui cherchèrent à utiliser les religions au mieux de leurs intérêts.

L'historiographie traditionnelle a conservé plusieurs versions de la venue du bouddhisme en Chine. On connaît de longue date en Occident celle, sans doute la plus légendaire, qui concerne l'empereur Ming des Han postérieurs : le rêve qu'il eut d'un «Homme d'or» venant se poser dans la cour de son palais; la mission envoyée au royaume des Yuezhi […]; le retour à la capitale Luoyang avec les deux religieux étrangers, Kâçyapa Mâtanga et Zhu Falan, qui furent installés au monastère du Cheval blanc, Baimasi […]. Le tout se passait vers 67 apr. J.-C. Cette légende a été battue en brèche par les modernes, qui lui préfèrent parfois une autre tradition faisant état d'une transmission orale de textes bouddhiques par un envoyé de ce même royaume de Yuezhi, en 2 av. J.-C., dans la capitale d'alors, Chang'an. On peut en tout cas admettre une double voie de pénétration, l'une officielle et l'autre privée, passant par osmose entre des commerçants de l'ouest et les milieux chinois pendant des siècles. C'est aussi dans la seconde moitié du IIᵉ siècle que s'organise l'activité de traduction, surtout avec le Parthe An Shigao et le Yuezhi Lokakshema (Zhi Chen), organisant des équipes auxquelles participaient des lettrés chinois. […] Zhu Shixing (IIIᵉ siècle) fut le premier Chinois à recevoir les commandements monastiques complets, et mourut à Khotan en quête des sûtras, inaugurant la lignée des moines-pèlerins chinois, dont les grands noms seront Faxian (mort vers 420), Yijing (635-713) et surtout Xuanzang (602-664), qui, après un long séjour en Inde, rapporta les doctrines Yogâcârin, fondant l'école Faxiang, renouvela les méthodes de traduction et laissa un récit détaillé de son voyage, le *Xiyuji*.

L'assimilation du bouddhisme à la pensée chinoise se fit lentement. Au début, le bouddhisme profita en quelque sorte d'une confusion avec le taoïsme, qui se reflète dans le choix des premiers textes traduits, souvent des traités pratiques de méditation, proches de «l'alchimie interne». Les lettrés du IVᵉ siècle furent fascinés par le concept de Vacuité (*kong*) de la Prajñâpâramitâ et voulurent appliquer les catégories provenant de Laozi et Zhuangzi à l'exégèse du bouddhisme; ce fut l'essor du *geyi* ou «adaptation des sens», qui, s'il fut à l'origine de malentendus, permit d'implanter le bouddhisme dans les milieux lettrés et la mentalité générale.

Du côté du confucianisme, le bouddhisme sut aussi s'adapter en utilisant des écrits indiens qui illustrent la vertu cardinale chinoise de piété filiale (*xiao*) [...].

L'implantation du bouddhisme en Chine se manifesta par le foisonnement des écoles et des sectes : Dao'an (315-385), disciple de Fotudeng, organisa une communauté solide où se pratiquaient exégèse et méditation (*dhyâna*) et il fut l'initiateur du culte de Maitreya (Milefo), le buddha du futur, qui joua un rôle important dans le chan et la religiosité populaire. [...] Deux grandes écoles religieuses et philosophiques apparurent sous les Sui et les Tang : le Tiantai, fondé sur la pensée de Zhiyi (538-598, tenu pour patriarche-fondateur) et de son maître Huisi (515-577), est une exégèse et une pratique centrées sur le *Sûtra du Lotus*; [...] puis l'école Huayan, fondée sur le sûtra de l'Avatamsaka et ayant pour patriarche fondateur Fazang (643-712), protégé de l'impératrice Wu Zetian (624-705), grand opposant du Faxiang mentionné plus haut. [...]

Après la grande persécution du milieu du IXe siècle et la réaction anti-étrangère qui suivit la chute des Mongols sous la dynastie Ming, le bouddhisme périclita dans sa forme classique, mais la dévotion en Amitâbha se maintint en association avec le chan, phénomène qui dura jusqu'à l'époque moderne. La pensée savante se fit syncrétiste avec le mouvement des «trois doctrines en une» (*sanjiao guiyi*), qui voulait réunir en un seul système taoïsme, confucianisme et bouddhisme. Il fut illustré par Zhuhong (1535-1615), Zhixu (1599-1655), Deqing (1546-1623). Ainsi le bouddhisme

finissait-il par s'intégrer à la pensée chinoise en s'y diluant.

Jean-Noël Robert,
«Le Bouddhisme chinois»,
in *Encyclopædia Universalis*, Paris, 1985

Poursuite de l'Eveil par la méditation : le Chan (ou Tch'an)

C'est dans l'école du *Tch'an* (*dhyâna*) que le bouddhisme d'inspiration chinoise donna toute sa mesure. Le Tch'an se concentre sur la pratique de la vie intérieure et surtout sur la réalisation au sein de l'activité quotidienne, mais uniquement sur cela. Il honnit la spéculation intellectuelle et le ritualisme, il limite, quand il n'exclut pas, le recours aux Ecritures, il est volontiers iconoclaste, voire blasphémateur, non par principe, mais parce que son but est d'obtenir l'Eveil instantané par le plus court moyen, fût-il brutal.

En réaction contre le bouddhisme de

cour, l'opulence monastique ou les facilités de la Terre pure, il constitue un retour à une simplicité et à une pauvreté, à une quête ardente et à une insistance sur le vécu, le comportement quotidien à l'écart de toute théorie, qui évoquent le bouddhisme primitif. Mais, en vraie secte mahâyâniste, il se situe d'emblée dans l'Eveil, ne connaît que lui, n'enseigne que lui. Rien d'autre après tout ne compte et sa réalisation est très simple : il suffit d'un élan, d'une intuition, d'un saut périlleux sur la pointe d'une aiguille, d'un pas de plus lorsqu'on est au sommet de la perche! Le maître du Tch'an veut provoquer ce geste et rien que lui; tout le reste sera donné par surcroît. […]

Par l'importance qu'elle accorde à l'acte libre et spontané, la secte la plus chinoise et la plus avancée du Grand Véhicule rejoint le bouddhisme ancien. Que la leçon du Tao et de sa vertu ne lui soit point étrangère est bien certain mais n'infirme pas la remarque : ici et là, le Spontané est efficience.

Ce trait rend compte de l'influence du Tch'an dans l'art. Le spontané, le réel peut s'exprimer par le pinceau ou l'épée, aussi bien que par le bâton ou le chasse-mouches. […]

La méthode du Tch'an, qui échappe aux conventions traditionnelles et en partie à l'autorité des sûtra, repose sur la valeur du maître et la transmission «au Cœur par le Cœur» – sin, «cœur» ou «conscience», peu importe le mot puisqu'il est vain de chercher une représentation.

Marinette Bruno,
in <i>Le Bouddhisme</i>, op. cit.

En Corée et au Japon

L'assimilation du bouddhisme par la Chine rendit possible sa diffusion dans l'ensemble du monde de culture chinoise,

car la civilisation chinoise prit souvent le bouddhisme pour véhicule. Dès le IVe siècle […], les petits royaumes de Corée furent évangélisés et le bouddhisme y prospéra rapidement. Au XIe siècle, la Corée eut même sa propre édition du canon. Par suite des échanges entre la Corée et le Japon, de nombreux Coréens bouddhistes s'installèrent au Japon […].

La vive réaction nationaliste shintoïste fit que le bouddhisme ne put jamais devenir une religion principale au Japon. Cependant il bénéficia de la protection du prince Shôtoku Taishi (574-622) qui promulga la première constitution du Japon sur des bases bouddhiques : l'article 2 recommandait en effet de vénérer les Trois Joyaux comme «fin dernière de tout ce qui est et comme l'unique fondement de tous les pays». Le prince fit venir des artisans, des savants et des moines de Corée, envoya des moines en Chine; il commenta lui-même des <i>sûtra</i>.

Dès lors le bouddhisme fut accepté : au VIIIe siècle, la communauté bouddhique eut des représentants au

sein du gouvernement [...]. La Loi pénétra dans le peuple au point qu'un amalgame se produisit entre les Buddha, les bodhisattva et les *kami*, divinités ancestrales du shintoïsme. Cependant, une élite de moines étudiait dans les monastères et des sectes se formèrent selon les préférences doctrinales à l'exemple des écoles chinoises. [...]

Puis, après une décadence religieuse et morale, on assista à un renouveau bouddhique aux XIIe et XIIIe siècles avec la secte de Hônen, qui prônait l'invocation du Buddha Amida, la secte de Nichiren et le Zen.

Murielle Moullec,
in *Le Bouddhisme*, op. cit.

Le Zen

L'école du Zen s'est développée en Chine. Un religieux du nom de Bodhidharma (japonais Daruma) sur

lequel on sait peu de choses [...] en est regardé comme le fondateur. Mais c'est Houei-neng (638-713), sixième patriarche de l'école, qui contribua le plus à son développement. Le terme *zen* (en chinois *tch'an*), qu'on peut traduire de façon approximative par «méditation», est une transcription abrégée qui répond au sanskrit *dhyâna*.

[...] C'est à la fin du XIIe siècle, alors que le Zen chinois était déjà fractionné en plusieurs branches, que vint au Japon un moine du Tendai appelé Eisai (1141-1215) qui avait eu d'abord l'intention de se perfectionner en ésotérisme. Il se lia avec un maître zéniste de la branche Lin-tsi et, après plusieurs années d'études, il rentra et établit au Japon la secte Rinzai, en 1191. Quelques années plus tard, un religieux nommé Dôgen (1200-1253), qui avait lui aussi étudié au Hien-zan et était devenu par la suite le disciple de Eisai, se rendit à son tour en Chine. Il y étudia le Zen de la branche Ts'ao-tong et, à son retour, en 1227, il fonda la deuxième des sectes Zen du Japon.

[...] L'ecole Zen nous invite à voir clairement ce qui est en nous, ce qui suppose, d'après elle, que notre esprit parvienne à un état tel qu'il est «vidé» de ce qui l'emplit ordinairement : espace, temps, affirmation et négation, bien et mal. Pourtant, cet état est lucide; les Japonais lui ont donné le nom de *satori*, qui signifie «compréhension» dans le langage courant. [...]

Les écoles du Zen, Sôtô en particulier, recommandent la méditation dans une position assise (*zazen*), suffisamment confortable pour que l'esprit n'ait pas de préoccupations, car il ne doit en avoir aucune, même celle de chercher à atteindre l'Eveil qui doit se produire tout seul. Un autre exercice propre au Zen consiste à réfléchir à des problèmes d'apparence absurde et qui ne comportent pas de solution logique (*kôan*). Les maîtres ont aussi l'habitude de donner à leurs élèves des horions, voire des coups de bâton. Le but de ces pratiques est le même : placer le disciple dans un état mental tel que son esprit soit totalement dérouté et devienne disponible pour l'Eveil. [...]

C'est surtout en province et dans un milieu relativement populaire que s'est développé le Sôtô. Le Rinzai s'est diffusé, du moins d'abord, dans des classes plus hautes, en particulier chez les guerriers de Kamakura et, ensuite, de Kyôto, auprès desquels il fut en grande faveur. Les guerriers furent attirés par une religion qui disait n'avoir pas besoin de livres, ni de cérémonies, ni de prières, et exigeait en revanche une forte discipline morale.

Gaston Renondeau et Bernard Frank,
in *Présence du Bouddhisme*,
Gallimard, Paris, 1987

Le bouddhisme tibétain

M oulin à prières.

Introduit au Tibet vers le VIIe siècle apr. J.-C. sous le patronage royal, le bouddhisme gagna peu à peu toutes les couches de la société qu'il transforma profondément. Après la disparition de ce dernier dans l'Inde, le Tibet devint un foyer de rayonnement et la forme tibétaine conquit l'ensemble des pays himalayens, et la Mongolie depuis le XVIe siècle; elle a joui aussi d'une certaine influence en Chine, à partir des Yuan.

Pour les sources tardives qui relatent l'introduction du bouddhisme lors de ce qu'elles nomment «la première diffusion», la légende s'est substituée à l'histoire : la conversion du Tibet s'inscrit dans un plan divin dont les instruments furent les rois de la dynastie qui, à la fin du VIe siècle, avait unifié le pays et entrepris une politique d'expansion remarquable; ces rois sont idéalisés sous la figure indienne du «roi qui gouverne selon le Dharma». En conséquence, la conversion aurait été rapide et massive, sous la conduite de nombreux pandits invités au Tibet, dont les deux principaux, Sântarakshita et Padmasambhava (sur lequel n'existe aucune certitude historique), sont considérés comme les initiateurs des deux courants qui devaient former le bouddhisme tibétain, le Mahâyâna et le Vajrayâna, ou tantrisme. [...].

Certes, durant cette période, le bouddhisme fut implanté sur ordre royal, le premier monastère – Bsam-yas – construit et la traduction intensive des textes canoniques entreprise avec l'élaboration d'un vocabulaire apte à traduire le sanskrit et les notions bouddhiques. [...]

Au IXe siècle, l'effondrement de la dynastie entraîna celui de la structure ecclésiale bouddhiste qu'elle patronait. On sait peu de chose de la survie du bouddhisme au Tibet jusqu'à sa résurgence au Xe siècle, dans ce que les Tibétains appellent «la deuxième diffusion». [...] C'est pour mettre fin aux pratiques tantriques déviantes, et pour restaurer la pureté de la doctrine et des pratiques, que le roi de Guge, Ye-shes-'od, décida de renouer les anciens liens religieux avec le monde indien, où il envoya des étudiants. [...]

Mais le véritable réformateur du bouddhisme tibétain fut Atisa (982-1054), célèbre moine indien invité par le successeur de Ye-shes-'od au Tibet occidental, où il arriva en 1042. Réservant ses enseignements tantriques à ses disciples proches, il prêcha le bouddhisme mahâyânique et restaura en particulier les exigences de la vie monastique. C'est lui, probablement, qui donna son rayonnement au culte d'Avalokiteçvara, considéré désormais comme le protecteur attitré du Tibet : sa formule, son *mantra* : *om mani padme hûm*, est, depuis lors, répétée à l'infini par les moulins à prière, les drapeaux, les pierres gravées et la bouche de tous les Tibétains. [...]

Au XVIe siècle se dessine la puissance politique de l'école la plus récente, celle des «Vertueux» (*Dge-lugs-pa*), fondée par Tsong-kha-pa (1357-1419). S'appuyant sur les traités des philosophes bouddhistes indiens et d'Atiça, ce dernier exposa dans des ouvrages magistraux les principes du Mahâyâna et des tantra. Il intégra les deux approches, en reprenant la gradation introduite par Atiça selon laquelle le Hinayâna (Petit Véhicule) est la voie destinée aux êtres de capacité moyenne, le Mahâyâna (Grand Véhicule) s'adressant aux êtres de bonnes capacités et le Vajrayâna (tantrisme) étant la voie rapide réservée aux êtres de capacités intellectuelles et spirituelles supérieures. [...] L'école est connue comme celle des Nouveaux Bka'-gdams-pa. Son succès fut très rapide. Entrant dans le jeu politique, elle finit par établir sa domination sur tout le pays au XVIIe siècle, sous l'autorité de la cinquième réincarnation d'un disciple de Tsong-kha-pa : le cinquième dalaï-lama, selon le titre mongol décerné à cette lignée depuis le XVIe siècle. Avec des variations mineures, la forme de gouvernement religieux établie alors, parfois définie comme théocratie, se maintint jusqu'à l'exil de l'actuel quatorzième dalaï-lama en 1959 sous la pression de la Chine communiste.

Anne-Marie Blondeau,
«Le Bouddhisme tibétain»
in *Encyclopædia Universalis,* Paris, 1985

Le lamaïsme

Mais le lamaïsme a pourtant un aspect propre, car il a accentué certains traits tantriques et, surtout, intégré beaucoup d'éléments appartenant aux croyances qui existaient avant lui (ou ont ensuite coexisté avec lui) au Tibet. [...]

Le lamaïsme, réserve l'activité proprement religieuse aux spécialistes – moines ou ermites – dont les fidèles se bornent à demander l'intervention, sans, le plus souvent, assister eux-mêmes aux rites ou cérémonies, d'ailleurs longs et complexes ou secrets. [...]

Si, toutefois, on ne demande aux fidèles que de faire des dons à l'église et aux pauvres et de mener une vie morale, afin d'accumuler les mérites en vue d'une existence ultérieure meilleure; s'il leur suffit d'aller en pèlerinage, de tourner autour d'objets sacrés, d'allumer des lampes devant les statues des divinités; ou encore de réciter des formules sacrées (les *mantra*), ce qui peut d'ailleurs se faire mécaniquement (grâce aux fameux «moulins à prières»); on attend cependant de ces fidèles qu'ils fassent tout cela avec foi, concentration et un certain effacement du moi, car c'est la foi plus que toute chose qui, avec la concentration, rend les pratiques efficaces. [...]

La méditation, «pratique essentielle de cette religion de moines», est de modèle tantrique indien, comme le sont aussi les pratiques du yoga. Elle est axée sur une des divinités du foisonnant panthéon bouddhique (souvent sur la déesse Târâ, qui en est une des plus populaires) et consiste, non pas seulement à l'invoquer, mais à la «créer» mentalement, à la faire surgir du «vide» – généralement à partir d'une syllabe qui en est le germe – avec tous les détails les plus précis de son apparence telle qu'elle est décrite dans les traités. Le méditant doit, ce faisant, s'identifier à cette divinité, ou la créer en lui, puis la projeter devant lui, ce qui est indispensable pour que la divinité puisse servir au bien des autres et non au seul méditant. Poussée à fond, cette pratique – qui peut exiger des années d'exercice – donne à la divinité une existence quasi objective et, dit-on, accessible à tous les sens. Il faut ensuite pouvoir la résorber en l'Absolu et alors se fondre en celui-ci. De cette façon, le méditant acquiert non seulement des pouvoirs divins, mais il a aussi et surtout l'expérience de la création et de la dissolution du monde phénoménal et, au plan humain de la naissance, de la mort et de l'état intermédiaire du *bar-do*; cependant qu'au niveau le plus haut il réalise l'unité ultime du *samsâra* et du *nirvâna*.

A. Padoux,
in *Le Bouddhisme*, op. cit.

Origines du tantrisme

Les origines du mouvement tantrique remontent assez loin dans le temps et semblent liées à de vieilles croyances magiques et religieuses, demeurées vivantes dans l'Inde comme ailleurs. [...]

La figure la plus célèbre du Tantrisme bouddhique indien est certainement Padmasambhava. Si son historicité ne fait pas de doute, il faut reconnaître que la légende l'a tellement défiguré, lui attribuant les exploits magiques les plus extraordinaires, qu'on discerne bien mal les principaux traits de son existence. Né au Çambhala, dans l'Uddiyâna, de sang royal, fils d'Indrabhûti lui-même selon certaines traditions, il fut appelé au Tibet vers 750 par le premier apôtre bouddhique venu en ce pays et qui n'était autre que le maître mâdhyamika Çântarakshita, abbé de Nâlandâ. [...]

Dès la fin du VIIIe siècle, le principal centre du Tantrisme bouddhique fut l'est de l'Inde, Bengale, Bihar et Orissa, où il brilla d'un vif éclat grâce à la protection et à l'appui solide de la dynastie des Pala. Vers l'an 800, le roi Dharmapâla fonda le grand monastère de Vikramashîla, non loin de Nâlandâ, qui éclipsa bientôt ce dernier et devint le siège le plus important des études tantriques. [...]

Vers l'an 1200, l'Inde orientale fut envahie par les hordes musulmanes qui incendièrent les couvents et massacrèrent les moines par milliers, ce qui mit brutalement fin à la dernière époque brillante du bouddhisme indien. Cependant, celui-ci subsista, quoique sans être de beaucoup aussi florissant, dans d'autres régions de l'Inde. Au Cachemire, protégé des invasions islamiques par sa ceinture de montagnes, il demeura actif jusqu'au XIVe siècle [...].

La «voie rapide»

Il y a un point sur lequel, dès le début du VIIIe siècle, la plupart des écoles tantriques prenaient délibérément le contre-pied des enseignements du Bouddhisme antérieur : c'est l'introduction d'un dualisme érotique qui devait bientôt prendre une grande

C loche rituelle tibétaine.

féminin et introduisent une foule de déesses dans le panthéon.

[…]Certes, on retrouve dans presque toutes les religions un tel symbolisme érotique, surtout lorsqu'il s'agit de mystique, mais le Tantrisme, hindou aussi bien que bouddhique, lui donna une importance beaucoup plus grande que partout ailleurs. Non seulement il envahit rapidement son art et sa littérature, mais il exerça, surtout dans certaines écoles, une profonde influence sur le culte. […]

Les éléments constitutifs de ce panthéon sont, d'une part les Buddha et Bodhisattva, d'autre part une foule de divinités, de génies et de démons. […] Les Buddha et Bodhisattva sont, dans l'ensemble, ceux du Mahâyâna mais leurs relations sont systématiquement définies. A l'étage supérieur de ce panthéon, nous trouvons cinq Buddha suprêmes appelés Jina (vainqueurs) ou Tathâgata. […] De ces cinq Jina émanent cinq Buddha qui apparaissent parmi les hommes pour leur enseigner la Voie de la Délivrance et qui sont constitués par des corps de création magique (*nirmânakâya*). […]

Au-dessous de ceux-ci, bien que remplissant cependant des fonctions importantes, sont les nombreuses divinités de toutes sortes et de tous rangs venues directement du panthéon hindou et du folklore indien. Reconnues dès l'origine par le Bouddhisme et jouant un rôle non négligeable dans la littérature de ce dernier, elles étaient demeurées jusque-là hors du champ du culte bouddhique proprement dit. Le Tantrisme leur reconnaît au contraire le droit d'être l'objet de la ferveur de ses fidèles au même titre que les Jina, Buddha, Bodhisattva et Çakti

A.Bareau, «Le Bouddhisme indien», in *Les Religions de l'Inde*, t. III, Payot, 1966

importance. Depuis l'origine, tous les grands maîtres bouddhistes avaient dénoncé, souvent avec véhémence, la passion érotique comme le lien le plus puissant retenant l'être dans le cycle des transmigrations et traqué la sexualité – dans les *Vinayapitaka* en particulier – jusque dans ses manifestations les plus anodines, insistant sur la chasteté absolue, de corps, de parole et d'esprit, qui devait être l'une des règles fondamentales de la condition monastique et faisant preuve, tout au long de douze siècles d'histoire, d'une misogynie comparable à celle des Pères du Christianisme. Au contraire, les penseurs tantristes voient un peu partout un symbolisme sexuel, exaltent l'importance et la valeur de l'élément

Le bouddhisme et l'Occident

Moins soucieux de convertir que de proposer une méthode de conduite de la pensée et une règle de vie, le bouddhisme ne fait pas de prosélytisme, il prend en compte la réalité. Il s'est, au fil des temps, adapté aux régions, aux climats et aux hommes. En cette fin de siècle, il a accompli une étonnante percée dans la culture occidentale.

Deux mille ans d'incompréhension

Pendant deux mille ans, le bouddhisme a été moins ignoré que surtout méconnu par l'Occident. Les premières rencontres eurent lieu très tôt mais ne furent qu'individuelles et sans lendemain. Un ancien texte pâli, le *Milindapañha*, relate les entretiens d'un des successeurs des généraux d'Alexandre le Grand, le roi grec Ménandre (IIe siècle av. J.C.) avec le moine indien Nâgasena, à qui il demanda de lui exposer les principes du Bouddhisme. Instruit par lui des doctrines concernant le caractère illusoire d'un moi permanent, le *karma*, et la chaîne des réincarnations, le roi les aurait adoptées avec enthousiasme. [...]

Au IIe siècle de notre ère, le premier des grands apologistes chrétiens, Clément d'Alexandrie, païen converti et convertisseur de païens, parle des philosophes indiens et mentionne le Bouddha. [...]

Dans l'Alexandrie du IIIe siècle, capitale cosmopolite où s'échangeaient des idées venues de tous les horizons, un moine célèbre, Ammonios Sakkas, qui

Italien, moine et bouddhiste, cet homme illustre l'expansion planétaire de la doctrine du Bouddha.

eut pour élève Origène, le génial exégète chrétien, mais aussi Plotin, le dernier des grands philosophes païen, aurait été un missionnaire indien. [...] Puis vint l'oubli. Pas tout à fait cependant, car au XIIIe siècle, un des romans les plus célèbres du Moyen Age, *Barlaam et Josaphat*, raconte en une version dûment christianisée l'histoire du Bouddha, telle qu'elle est exposée dans le *Lalitavistara*, texte bouddhique classique. Les philosophes ont pu reconstituer la genèse de cette singulière transposition. [...] A la fin du XIIIe siècle, Marco Polo, qui avait rencontré le bouddhisme en Asie, pouvait écrire : «Car certes, s'il avait été baptisé chrétien, il (le Bouddha) aurait été un grand saint avec Notre Seigneur Jésus-Christ.»

Ensuite, ce fut le silence. Un silence qui ne fut rompu que par les voyageurs érudits qui recueillirent au Tibet et au Népal des collections de textes bouddhiques. Au début du XIXe siècle suivirent les premières traductions. [...] On crut en savoir assez pour publier dès 1860 des introductions au bouddhisme. Elles en donnèrent pour longtemps une image inexacte, sinon caricaturale. En lui, elles ne voyaient qu'un athéisme destructeur, fondé sur des «imaginations bizarres» et une «aspiration morbide au néant». On a remarqué depuis que cette incompréhension provenait en partie du fait que le bouddhisme utilisait des éléments psychologiques qui ne furent reconnus en Occident qu'avec l'étude de l'inconscient par la psychanalyse.

J. Brosse, in *L'Actualité religieuse dans le monde*, octobre 1993

Aux Etats-Unis, le premier apport : l'immigration chinoise et japonaise

Les textes qui suivent constituent à la fois un bref historique du bouddhisme en Europe occidentale et un état des lieux en cette fin du XXe siècle. Ils sont extraits de l'ouvrage très complet de Peter Harvey, Le Bouddhisme, *paru aux Editions du Seuil, en octobre 1993.*

Dans les décennies 1860 et 1870, des centaines de milliers d'immigrants chinois arrivèrent sur la côte Ouest des Etats-Unis et du Canada pour travailler dans les mines d'or et la construction des voies ferrées. Après 1882, ce fut le tour des manœuvres japonais. A partir de 1868, d'importants effectifs d'immigrants chinois et japonais vinrent aussi travailler dans les plantations sucrières d'Hawaï, qui fut annexée comme territoire américain en 1898. L'immigration asiatique en Californie s'arrêta en 1902, mais continua d'Hawaï, qui devint ainsi un centre important pour la transmission du bouddhisme en Amérique. [...]

La religion chinoise resta discrète en Amérique du Nord, bien qu'une mission de la Terre Pure ait été assez active parmi les Chinois. Aujourd'hui, la plupart des temples sont enfouis dans les quartiers chinois des grandes agglomérations. En majorité, ils suivent la religion populaire traditionnelle et syncrétiste, à part certains plus spécifiquement bouddhistes ou taoïstes, ou alliant les deux spiritualités. [...]

Les immigrants japonais, dont beaucoup venaient d'une région où l'école Jôdo-shin avait une certaine vigueur, ont manifesté une plus grande activité dans les affaires religieuses. Cette école fut aussi la plus active dans le domaine missionnaire. En 1889, Sôryû Kagahi arriva à Hawaï et y établit le premier temple japonais. [...] En 1899, Sôkei Sonada vint à San Francisco et l'établit sur le continent sous le nom de North American Buddhist Mission. Pendant la Seconde Guerre mondiale, elle fut réorganisée sous le nom de

A travers des grilles, on aperçoit cette maison résidentielle de Washington convertie en temple bouddhiste en 1978 par la Buddhist Congregational Church of America.

Buddhist Churches of America (Eglises bouddhistes d'Amérique) et devint indépendante de sa maison mère japonaise. [...]

Après la guerre, deux instituts furent fondés pour la formation des prêtres. Un astronaute tué dans la catastrophe de la navette spatiale Challenger en 1986 était membre de l'Eglise bouddhiste ; le ministère américain de la Défense autorisa celle-ci en 1987 à présenter des aumôniers militaires. En 1987, elle déclarait avoir aux Etats-Unis 170 000 adhérents, 63 temples et 70 religieux. La plupart des fidèles sont d'origine japonaise. Au Canada, en 1985, les Buddhist Churches of Canada affiliées comptaient 18 Eglises membres et environ 10 000 fidèles.

Les nouveaux convertis

Après la Seconde Guerre mondiale, des militaires américains en poste dans le Japon occupé, ou envoyés dans les guerres de Corée et du Viêt-nam, s'intéressèrent au bouddhisme. Puis, dans les années soixante et soixante-dix ce furent des jeunes venus par la route à travers l'Europe et le Moyen-Orient pour atteindre l'Inde et le Népal «mystiques». Egalement, les réfugiés tibétains commencèrent bientôt à partager leur tradition avec les Occidentaux en Amérique du Nord et en Europe. A partir de 1975, des réfugiés vietnamiens, laotiens et cambodgiens, arrivèrent dans les pays occidentaux ; en 1985, leur nombre avait atteint 884 000 : 561 000 aux Etats-Unis, 94 000 au Canada, 97 000 en France, 91 000 en Australie, 22 000 en Allemagne et 19 000 en Grande-Bretagne.

Le véritable essor du bouddhisme aux Etats-Unis

Le Zen fut la première forme de bouddhisme à vraiment s'intégrer parmi les Américains d'origine européenne, qui le trouvaient bien adapté au caractère énergique et pragmatique des Américains.

Dans l'Amérique de l'après-guerre, il continua à se développer pendant la période «beat» des années cinquante et la contre-culture des décennies 1960 et 1970. C'est à cette époque que commença réellement l'essor du bouddhisme en général, et surtout sous ses formes zen et tibétaine. Si le Rinzai fut la première école zen établie en Amérique, le Sôtô, très populaire à

Prière dans le temple de la Buddhist Congregational Church of America, à Washington.

Hawaï, suivit ensuite. En 1961, un maître de Zen Sôtô, Shunryu Suzuki (1904-1971), fonda l'impressionant Zen Center de San Francisco et, en 1967, le monastère de Tassajara Mountain. [...]

Les quatre écoles principales du bouddhisme tibétain sont toutes représentées aux Etats-Unis ; elles attirent un nombre croissant de jeunes par leur combinaison de mysticisme, de symbolisme, de rituels et de profonde connaissance psychologique. Chögyam Trungpa Rinpoché (1939-1987), un Lama de l'école Kagyu, établit un centre florissant à Boulder (Colorado) en 1971. C'est devenu depuis le siège de Vajradhâtu, un organisme comprenant un réseau de nombreux centres de méditation, de groupes affiliés et un Buddhist Institute. [...]

Dans la tradition chinoise, les groupes bouddhistes sont devenus plus actifs et ont intéressé des Américains d'origine européenne. Hsuan Hua, un maître du Tripitaka, fut particulièrement influent. Venu de Hong Kong en 1962 sur l'invitation de quelques disciples sino-américains, il fonda la Sino-American Buddhist Association à San Francisco en 1968. Sa réputation attira bientôt des disciples d'origine européenne, qui formaient dès 1971 les deux tiers des membres de la SABA. En 1977, le siège de l'association devint «la Cité des 10 000 bouddhas», dans les vaste locaux d'un ancien hôpital entouré d'un grand domaine, dans le nord de la Californie.

En 1960, le Soka-Gakkai, sous le nom de Nichiren Shoshu of America, entreprit un prosélytisme vigoureux en commençant par Los Angeles. Depuis 1964, son action s'est étendue au-delà de la communauté nippo-américaine, si bien qu'aujourd'hui 95% de ses membres ne sons pas des Asiatiques. En 1970, elle déclarait avoir 200.000 adeptes aux Etats-Unis ; en 1974, elle avait des groupes dans plus de soixante campus de collèges et d'universités. Ses membres comprennent plus d'Hispaniques et de Noirs que les autres groupes bouddhistes, ainsi que des personnalités médiatiques [...].

La tradition du Theravada est encore jeune aux Etats-Unis, puisque son premier vihâra fut établi par les Cinghalais à Washington en 1966. Deux autres ont été ouverts depuis et la tradition commence à s'épanouir. Des Américains ont reçu l'ordination de moine et, depuis 1987, des Américaines celle de nonne à dix vœux. les centres de méditation enseignant la méditation de la Vision Pénétrante sont de plus en plus appréciés.

Le bouddhisme en Grande-Bretagne

Le premier propagateur du bouddhisme en Grande-Bretagne fut Dharmapala. Il y séjourna cinq mois en 1893, puis en 1896 et 1904 ; lors de ces séjours, il rencontra T.W. Rhys Davids, Edwin Arnold et les théosophes. [...] En 1907, la Bouddhist Society de Grande Bretagne et d'Irlande, avec T.W. Davids comme président, fut créée. [...]

La Buddhist Society était intéressée par une vision moderniste du bouddhisme du Sud, constituant à la fois une éthique et une vision du monde. Son dévelopement fut lent au début, mais de 1909 à 1922 la *Buddhist Review* fut publiée. La Première Guerre mondiale interrompit cet essor et la Society se débattit ensuite jusqu'à son effondrement en 1924. Cette même année, cependant, Christmas Humphreys (1901-1983), un avocat, fonda la Buddhist Lodge de la

Société théosophique, qui absorba en 1926 les restes de la Buddhist Society précédente. En 1943, la Lodge devint la Buddhist Society, et sa revue (*Buddhism in England*) devint *The Middle Way*, qui continue aujourd'hui avec succès. [...]

A partir des années soixante-dix, le bouddhisme commença à s'implater plus profondément. On constate en effet que l'engagement dans la pratique bouddhiste, par opposition à un intérêt demeuré essentiellement intellectuel, se répand davantage, et qu'une dimension sociale se développe avec l'établissement d'un *Sangha* anglais et de nombreux centres bouddhistes. Les traditions les plus vigoureuses sont le Theravâda, le Zen, le bouddhisme tibétain et un groupe syncrétiste, The Friends of the Western Buddhist Order (FWBO). [...] Le développement des monastères et centres de méditation bouddhistes a contribué à stimuler un sorte de réveil dans la méditation chrétienne; les moines et nonnes chrétiens apprennent parfois des méthodes de méditation bouddhiste. Les bouddhistes occidentaux sont probablement entre 10 000 et 100 000 en Grande-Bretagne.

Les Allemands et la méditation

En Allemagne, longtemps on ne s'est intéressé qu'à la tradition du Sud, peut-être plus attirante pour qui est issu d'une culture protestante. La première association bouddhiste fut fondée en 1903 par l'érudit en études pâli Karl Seidenstüker, afin de promouvoir l'érudition dans le domaine bouddhique. Le succès fut minime, cependant. Une personnalité influente dans le bouddhisme allemand des premiers temps fut Georg Grimm (1868-1945), dont *La Doctrine du Bouddha, la religion de la raison* (1915, en allemand)

La figure noircie de laque à la manière des femmes indigènes, entre un lama et une fillette tibétaine, Alexandra David Neel pose devant le Potola, le siège du Dalaï Lama.

devint l'un des livres les plus répandus sur le bouddhisme, à la fois dans sa version originale allemande et ses nombreuses traductions. Selon son interprétation des *Sutta*, l'enseignement du non-soi de tous les phénomènes était une voie menant à la compréhension intuitive du Soi authentique, qui transcende les concepts. Il pensait que la tradition bouddhique avait mal compris le Bouddha et nomma sa propre interprétation le «Bouddhisme ancien», dans le sens de «l'enseignement originel». [...] Une autre personnalité du bouddhisme fut Paul Dahlke (1865-1938) ; il commença à s'intéresser au bouddhisme lorsqu'il était à Sri Lanka en 1900 et suivit une version moderniste du bouddhisme du Sud, bien enracinée dans les sources pâli. Il construisit à Berlin-Frohnau la Maison bouddhiste, un temple et centre de méditation ouvert en 1924, et publia des traductions de plusieurs *sutta*. [...]

La situation changea après la Seconde Guerre mondiale, surtout grâce à l'influence d'un petit livre du professeur Eugen Herrigel. C'était *Le Zen dans l'art du tir à l'arc* (1948, en allemand), fruit de cinq années d'étude d'un art martial du Zen. A partir des années soixante-dix, des centres zen apparurent et le Jôdo-shin assura aussi une présence dans ce pays. L'après-guerre vit également l'introduction de l'Arya Maitreya Mandala, qui avait en 1970 des centres dans dix villes : c'est une communauté laïque fondée par Lama Anagârika Govinda (1898-1985), un Allemand formé dans les deux traditions du Sud et du Nord, qui fut un disciple du mouvement œcuménique tibétain Rimè (*ris-med*). A partir de cette même décennie, d'autres groupes tibétains se sont établis.

Les centres bouddhiques français

En France, dans les premiers temps, deux éminentes vulgarisatrices du bouddhisme furent Alexandra David-Neel et Suzanne Karpelès. La première, intrépide exploratrice et écrivain prolifique, fit connaître au grand public les aspects

Prières bouddhistes en France, dans un site troglodyte au bord de la Vézère.

exotiques du bouddhisme tibétain plusieurs dizaines d'années avant que cette tradition, ne devienne l'école bouddhiste la plus répandue en France, sinon en Europe. Alors qu'Alexandra David-Neel était une solitaire, Suzanne Karpelès se tournait vers la société. [...] Elle dirigea la publication du Tipitaka en pâli et en khmer, fut secrétaire générale des deux Instituts, secrétaire de l'Ecole française d'Extrême-Orient à Hanoï, et eut une grande activité au sein de l'association «Les Amis du Bouddhisme». Inaugurée en 1929 à Paris, ce fut la première association bouddhiste officiellement constituée. [...]

A partir des années 1970, deux peuples en exil – les Tibétains et les Vietnamiens – furent à l'origine d'une vague d'activités bouddhistes et de construction de temples. Le bouddhisme tibétain est représenté par

des Lamas instruits et expérimentés envoyés d'Inde, leur nouveau foyer monastique depuis l'exil. Kalou Rinpoché s'est révélé le maître spirituel le plus influent en ce qui concerne les centres Kagyupa (*bka'-brGyud-pa*) établis ; la lignée Guélougpa (*dGe-lugs-pa*) est maintenant solidement représentée et assure la formation méthodique de moines et de nonnes européens. [...]

Les Vietnamiens ont ouvert de nombreux centres, principalement à Paris et aux alentours, dirigés par diverses personnalités monastiques. Nhât Hanh, dont la réputation d'«activiste de la paix» est internationale, a intégré la pratique bouddhique à un environnement laïc et l'a mise en valeur grâce à des œuvres en français et en anglais très appréciées. Huyên-Vi préfère une démarche plus traditionnelle et, sous la bannière de Linh So'n, a fondé des centres à travers le monde.

En plus de ces activités, les

bouddhistes cambodgiens et cinghalais ont fondé quelques temples-monastères, mais destinés surtout à servir les besoins religieux de leurs compatriotes. Ainsi, la tradition du bouddhisme du Sud est faiblement représentée en ce qui concerne les pratiquants occidentaux. La tradition la plus importante, avec quarante-six centres en 1984, est la tibétaine; à cette date, le Zen avait cinq centres, le Theravâda deux centres et deux monastères. Le Nichiren Shôshû est aussi présent.

L'Europe des pagodes

L'International Buddhist Directory, dans ses données de 1984, donnait la liste des organisations bouddhistes dans ces pays : Autriche, Belgique, Danemark, Espagne, Finlande, Grèce, Hollande, Norvège, Portugal, Suède et Suisse. Pour l'ensemble des pays d'Europe occidentale, sans compter le Royaume-Uni, il citait : 146 centres, 1 monastère et 3 Instituts pour la tradition tibétaine, 34 centres et 3 monastères pour la tradition zen, 25 centres et 2 monastères pour la tradition du Theravâda. L'école Jôdo-shin a 2 temples en Suisse et 1 en Belgique. En 1987, un petit Espagnol de deux ans, fils d'un couple s'occupant d'un centre de bouddhisme tibétain en Espagne, fut reconnu comme la réincarnation de Thoubtèn Yeshé Rinpoché (1934-1984), un lama Guélougpa qui avait été très actif dans l'établissement de centres et de monastères tibétains en Occident. L'enfant réside maintenant au népal au monastère de Kopan fondé par Lama Thoubtèn Yeshé, où il représente une personnalité spirituelle.

Une Union bouddhiste d'Europe a été créée en 1975, comme forum de discussion, de coopération, de publications et de liaison avec des instituts médicaux et de psychologie. En 1987, elle comprenait les Unions bouddhistes nationales d'Allemagne, Autriche, France, Italie, Hollande, Suisse et une cinquantaine d'organisations (telles que la London Buddhist Society), de monastères et de groupes. En 1987, elle faisait état de plus d'un million de bouddhistes en Europe (Asiatiques inclus). En plus de 500 000 pour l'Angleterre (chiffre très exagéré), d'autres chiffres avancés étaient : 70 000 en Allemagne, 200 000 en France, 15 000 en Italie, 6 000 en Autriche

P. Harvey, *Le Bouddhisme*, Le Seuil, Paris, 1993

« **R** éincarnation» d'un lama missionnaire, cet enfant espagnol a rejoint le Népal.

Entretien avec le Dalaï Lama

Harmonie avec le monde et accord avec soi-même émanent de sa personne. Prix Nobel de la paix en 1989, le Dalaï Lama se dit lui-même, avec un sourire, «politicien malgré lui». En l'approchant, on appréhende sans doute le Tibet et ses énigmes; on saisit surtout l'envergure d'un être d'exception, à la dimension authentiquement universelle.

Pourriez-vous dire comment vous appréhendez le bouddhisme? Est-ce une religion, une pratique ou une philosophie?

C'est les trois à la fois. On y pratique diverses formes de méditations. Et la méditation analytique – entre autres – passe toujours par une certaine sagesse. C'est également une religion, puisque cette pratique et cette philosophie relient les êtres entre eux vers l'illumination, le refuge, les aide à devenir des bouddhas, des êtres éveillés.

Le Dieu des juifs, des chrétiens et des musulmans auquel le fidèle s'adresse est une personne, avec qui il entretient un véritable échange. C'est également le «Tout autre». Pour vous, le Bouddha correspond-il à cette définition?

Non. Pour nous, le Bouddha n'est pas le «Tout autre». Mais si l'on définit Dieu comme le refuge, l'Eveilleur, le Bouddha correspond à votre notion de Dieu. Il est l'Etre omniscient par excellence. Par contre, il n'est pas le créateur du monde et des créatures. Nous pensons que nous avons tous en nous la nature du Bouddha. Nous ne pouvons donc pas nous créer nous-mêmes.

Effectivement, la notion de création n'est pas du tout appréhendée de la même manière dans le christianisme et dans le bouddhisme...

Pour les bouddhistes, c'est le karma qui crée le monde. Toute action découle d'une action précédente, tout évènement découle d'un événement précédent suivant une loi de causalité. C'est la force de l'esprit, des sentiments, des émotions qui crée le monde dans lequel on vit, qui façonne les êtres. […]

L'histoire humaine a-t-elle une véritable importance pour un bouddhiste? Le Bouddha intervient-il dans la vie des hommes?

Il faut d'abord préciser que chercher le détachement vis à vis des choses ne signifie pas s'en désintéresser. Même si je suis avant tout un moine, je m'intéresse aux événements qui se passent dans le monde. […]
Je crois cependant qu'il y a plusieurs degrés de détachement et que le bouddhisme appelle fondamentalement au détachement total. Pour nous, l'histoire humaine n'a effectivement pas la même importance que pour vous. Et le Bouddha n'intervient pas directement puisque nous croyons à la loi du karma. […]

Les Quatre Nobles Vérités du Bouddha sont centrées sur la question de la souffrance.[…] Les religions ne sont-elles pas des réponses différentes à cette question?

La souffrance est effectivement présente de la naisssance à la mort dans la vie d'un homme, ne serait-ce qu'au moment de ces deux étapes. Et je crois que sans religion, sans pratique, il est difficile d'éliminer, d'apprivoiser la souffrance.
D'ailleurs, l'ensemble de l'enseignement bouddhiste tente d'apprendre à éliminer toutes les sources de souffrance, à s'en libérer. Le christianisme lui aussi propose d'aider l'homme à accepter, à se préparer à la mort. Mais les religions montrent un chemin. Chacun est libre de le suivre ou pas.
[…]

Des millions d'Occidentaux sont attirés par le dharma […] et perdent de ce fait l'intérêt pour leur propre tradition.

Il y a deux phénomènes; Certaines personnes gardent leur foi dans leur religion d'origine et adoptent certaines techniques, certaines pratiques d'une autre religion. Je crois que cela est très positif. Mais d'autres personnes désirent changer de religion. C'est ce phénomène qui est le plus dangereux. Il faut que les personnes réfléchissent beaucoup et longtemps. Car ce n'est pas naturel de se couper de ses racines. Si on le fait trop rapidement, c'est généralement par amertume et déception de son ancienne religion. Alors on devient critique contre sa religion d'origine. Cela est très grave car on détruit l'esprit même de la religion qui est la tolérance, la sagesse, l'amour. […]

Croyez-vous que le bouddhisme puisse réellement s'implanter durablement en Occident […]?

Si on regarde l'histoire du bouddhisme, il faut distinguer les enseignements essentiels du Bouddha et la culture. En se répandant à travers le monde, les enseignements essentiels se sont enracinés dans des cultures diverses. C'est pour cela qu'on parle du bouddhisme tibétain, du bouddhisme chinois, du bouddhisme thaïlandais, etc. Au regard de cette histoire, on peut dire qu'il est tout à fait possible que les enseignements essentiels s'ancrent dans la culture occidentale et qu'il existera un jour un bouddhisme occidental.

propos recueillis
par E. Saint-Martin,
in *Actualité religieuse dans le Monde*,
hors série n°2

GLOSSAIRE

Abhaya : «sûreté, paix», qui ne craint pas, qui rassure. L'*abhayamudrâ* est le geste qui apaise.

Arhant : «méritant», vénérable, saint qui a atteint la quatrième étape de la Voie de la délivrance, qui a obtenu le nirvâna en cette vie et ne renaîtra plus nulle part car, chez lui, les passions et les erreurs sont toutes définitivement épuisées.

Ârya : «noble», saint.

Âtman : «soi», pronom réfléchi, sert à désigner le principe d'individualité, nié par le bouddhisme, de chaque être et de chaque chose.

Avalokiteçvara : «le Seigneur qui regarde vers le bas», l'un des grands Bodhisattva du Mahâyâna et l'un des plus célèbres.

Bodhi : «éveil», découverte capitale des quatre saintes Vérités. «Prise de conscience» par laquelle un Bodhisattva parvient à l'état de Bouddha.

Bodhisattva : «être sur la voie de l'Eveil», futur Bouddha.

Brahman : le sacré, «parole rituelle», principe de l'être, le «soi» universel identifié au «soi» individuel par la principale secte brahmanique. Dévot, prêtre, Brâhmane, détenteur du Veda, appartenant à la première caste.

Buddha ou **Bouddha :** «éveillé», celui qui a découvert les quatre saintes Vérités et atteint par là même le nirvâna en ce monde.

Cakra : roue, cercle, disque, arme et insigne de souveraineté, symbole de la Loi bouddhique.

Cakravartin : roi «(qui possède) la Roue en mouvement», monarque universel guidé par la Loi qu'il fait observer.

Çâkyamuni : «le sage, l'ermite (du clan) des Çâkya», désignation du Bouddha Gautama.

Dharma : «ordre, règle, loi», le fait de tenir, de porter, de subsister, d'où : la doctrine bouddhique; les lois naturelles auxquelles sont soumis les choses et les êtres; les phénomènes, les choses soumises à ces lois; les idées, c'est-à-dire les choses prises comme objets par l'esprit.

Dhyâna : méditation.

Gautama : nom du chef de la lignée du clan des Çâkya; nom du Bouddha historique dans les textes anciens.

Jaïnisme : religion voisine du bouddhisme, apparue à la même époque et dans la même région que celui-ci. Sa doctrine, assez proche de celle du bouddhisme, demeure pratiquée dans l'Inde, surtout au nord de Bombay.

Jâtaka : «naissance», contes narrant les existences antérieures, légendaires, du Bouddha, dans des conditions animales, divines ou humaines.

Jina : «vainqueur», épithète du Bouddha, de saints Jaïna, quelquefois de Vishnu.

Karman : «acte» possédant une valeur morale, bonne, mauvaise ou neutre.

Maitreya (pâli, **Metteyya**) **:** le «Bienveillant», nom du prochain Bouddha.

Mudrâ : sceau, marque, geste codifié ayant une signification iconographique particulière, chargé de valeur mystique et magique dans le tantrisme.

Nirvâna : «extinction», état ineffable, immuable obtenu par l'absence, l'arrêt de tout désir; cessation, état de délivrance atteint par les Bouddha et les *arhant*.

Pâramitâ : «extrêmes» de vertus pratiquées à la perfection par le Bodhisattva et qui lui permettront de devenir un Bouddha.

Parinirvâna : «extinction complète» qui se produit à la mort d'un Bouddha «parfaitement et complètement Eveillé» : c'est la disparition totale et définitive de tous les éléments et phénomènes, matériels et spirituels, qui formaient sa personne et après laquelle il ne renaîtra plus jamais nulle part.

Prajñâ : sagesse, intelligence, faculté de connaître et de comprendre.

Prajñâpâramitâ : «perfection de sagesse», doctrine mahâyânique personnifiée sous l'un des aspects de la déesse Târâ, considérée comme la «Mère spirituelle de tous les Bouddha» et souvent associée à Avalokiteçvara.

Pûjâ : rite brahmanique d'adoration et d'hommage à une divinité, quotidiennement effectué, à titre privé ou public et solennel.

Sangha : la «Communauté» des moines bouddhiques.

Samsâra : «fait de passer, transmigration», succession des naissances et des renaissances, monde, condition humaine.

Satya : «réalité», vérité, en particulier les quatre saintes Vérités de la douleur, de l'origine de la douleur, de la cessation de la douleur et de la voie qui mène à la cessation de la douleur.

Stûpa : monument essentiel du bouddhisme, édifice massif plus ou moins campaniforme, reliquaire ou commémoratif enfermant des reliques (du Bouddha, de la Loi, de personnages vénérés).

Sûtra (pâli, **Sutta**) **:** «fil», texte rapportant un discours du Bouddha ou de l'un de ses disciples immédiats.

Sûtrapitaka : «Corbeille des textes», partie du Canon bouddhique contenant l'ensemble des sermons et des textes apparentés.

Tantra : «chaîne (du tissu), continuité, système,

théorie, doctrine», spécialement mystique et
magique, comportant des rites parfois secrets et
accordant une particulière importance à l'énergie
(féminine) associée à la divinité masculine.
Adopté par le brahmanisme et le bouddhisme,
développé vers les XIIᵉ-XIIIᵉ siècles.

Tathâgata (interprétation controversée) : «venu
à, ou parti pour la réalité», «venu, ou parti ainsi»,
etc., l'un des principaux titres des Bouddha.

Upanishad : «doctrine» (secrète), croyances;
œuvres prolongeant certaines spéculations des
Brâhmana (interprétations du brahman).

Ûrnâ : «laine», touffe de poils entre les sourcils,
l'une des marques de l'«Homme éminent».

Ushnîsha : «turban», devenu la protubérance
crânienne dans l'iconographie bouddhique –
l'une des marques de l'«Homme éminent».

Vinayapitaka : «Corbeille de la discipline», partie
du Canon bouddhique ancien contenant l'ensemble
des prescriptions relatives à l'organisation, à la
vie et à la discipline communautaires.

Yoga : «fait de lier, d'atteler», méthode, aptitude,
soin, concentration d'esprit et puissance qui en
résulte, système philosophique, pratique religieuse.

CHRONOLOGIE

Nous faisons commencer cette chronologie à la
mort du Bouddha; les dates sont données
d'après la tradition cinghalaise et les historiens
modernes.

543 av. J.-C. (trad.) ou env. 485 : Grande totale
Extinction du Bouddha à Kuçinagara.

542 (trad.) ou env. 485 : Concile de Râjagriha : le
grand disciple Mahâkâçyapa fait réciter
la Loi et la Discipline par 500 *arhant*, en
commun.

443 (trad.) ou env. 385 : Deuxième concile tenu à
Vaiçâlî, contre les pratiques illicites adoptées
par la Communauté de Vaiçâlî.

VIᵉ-IVᵉ s. av. J.-C. (env.) : Fixation de la tradition
orale des canons : Corbeilles de la Discipline
et des Discours (du Bouddha).

327-325 : Alexandre le Grand traverse l'Indus et
fait retraite après la bataille de l'Hydaspès.

324-187 : Dynastie des Maurya, fondée par
Candragupta (324-300).

272-236 (env.) : Règne d'Açoka (*Dharmâçoka*),
petit-fils de Candragupta.

260 (env.) : Açoka conquiert le Kalinga, vers la
côte orientale, et se convertit au bouddhisme.

256 (env.) : Envoi de missionnaires décidé pour
enseigner la Loi (*Dharma*) dans les contrées
limitrophes de l'empire.

250 (env.) : Troisième concile réuni à Pâtaliputra.
Arrivée de Mahinda, fils ou frère d'Açoka, et
de missionnaires au Sri Lanka : conversion
du souverain et de ses sujets.

IIIᵉ s. av. J.-C. au Iᵉʳ s. apr. J.-C. : Fixation orale
de la plupart des textes du Dharma spécial,
classifié (*Abhidharma*).

35-32 : Fixation par écrit du canon pâli au Sri
Lanka, sous le règne de Vattagâmanî Abhaya.

Fin du Iᵉʳ s. av. J.-C. : Débuts du Mahâyâna,
Grand moyen de Progression.

Iᵉʳ s. apr. J.-C. : Premiers textes des «Extrêmes
de Sagesse» (Prajñâpâramitâ Sutra)

IIᵉ s. : Activité du bouddhisme au Gandhâra, en
Afghanistan et expansion vers l'Asie centrale
et la Chine.

IIIᵉ s. : Apparition des premières formules
magiques, les Dhârâni, annonçant les
doctrines tantriques développées aux
siècles suivants. Premiers témoignages
bouddhiques sur le pourtour de la mer de
Chine méridionale.

250-300 : Nâgârjuna fondateur de l'école du
Moyen Terme (*Mâdhyamika*), le «chemin du
milieu».

320-605 : Dynastie des Gupta en Inde, fondée
par Candragupta Iᵉʳ (320-v. 335).

Fin du IVᵉ s. : Asanga fonde l'école Yogâcâra
(«qui a le yoga pour pratique») ou Vijñânavâda
(«qui parle du savoir, de la connaissance»).
Introduction du bouddhisme en Corée.

399-413 : Le pèlerin chinois Faxian visite l'Inde.

440 : Fondation du monastère de Nâlandâ,
future grande université bouddhique
(Mahâyâna) par le roi Kumâragupta Iᵉʳ.

Vᵉ s. : Traces du bouddhisme Theravâda en
Birmanie et Thaïlande. Culte d'Amitâbha
en Chine.

Fin du Vᵉ s. : Nâgasena, moine indien, arrive au
Funan (delta du Mekong).

484 et suiv. : Le roi du Funan Jayavarman envoie
des reliques bouddhiques à l'empereur de
Chine. En Inde du Nord-Ouest, invasion des
Huns Hephtalites : destruction de nombreux
monastères bouddhiques.

Début du VIᵉ s. : Le Mahâvamsa (partie
ancienne), chronique en pâli du Sri Lanka.

538 : Introduction du bouddhisme au Japon
par des moines de Corée.

VIᵉ-VIIᵉ s : En Chine, écoles T'ientai, Huiyuan

et Chan (éc. du Dhyâna).

Début du VIIᵉ s : Saraha, maître du tantrisme bouddhique au Bengale.

629-645 : Voyage en Inde, par voie terrestre, du pèlerin chinois Xuanzang.

671-695 : Voyage en Inde, par voie maritime, du pèlerin chinois Yijing.

Début du VIIIᵉ s. : Introduction d'ouvrages tantriques (bouddhiques) en Chine.

VIIIᵉ s. : Essor du Mahâyâna et du tantrisme bouddhique en Indonésie et dans la zone centrale de la Péninsule indochinoise.

750 : Introduction du tantrisme bouddhique au Tibet par Padmasambhava.

750-1161 : Dynastie Pâla au Bengale et au Bihar.

800 : Fondation du monastère de Vikramaçila, future université du bouddhisme tantrique, par le roi Dharmapâla.

Fin du IXᵉ s. : Au Champa (Centre Viêt-Nam), fondation du monastère mahâyânique de Dông-dzuong.

Xᵉ s. : Fondation en Inde de la secte tantrique du Kâlacakra.

Début du XIᵉ s. : Nouvelle propagation bouddhique au Tibet.

1160 : Au Sri Lanka, le roi Parakramabâhu Iᵉʳ unifie les Communautés bouddhiques au sein du Mahâvihâra : le Theravâda («doctrine des Anciens»). En Birmanie, le roi Anoratha fait adopter le Theravâda.

1191-1218 : Règne de Jayavarman VII au Cambodge; adoption du Mahâyâna tantrique et syncrétique et des principes de la royauté universelle inspirés de l'exemple d'Açoka : fondation d'Angkor Thom.

XIIᵉ-XIIIᵉ s. : En Inde, la pénétration de l'islam élimine le bouddhisme qui ne subsiste que dans les contrées du Sud-Est. Au Japon, fondation des sectes zen et de la Terre Pure.

Fin du XIIIᵉ s. : Les souverains du Nord (Chieng Mai) et du Nord-Est (Sukhothai) de la Thailande adoptent le bouddhisme Theravâda.

XIVᵉ s. : Adoption du Theravâda au Cambodge et au Laos, fondé v. 1350.

1357-1419 : Tsongkhapa, réformateur du bouddhisme tibétain. Fondation de l'ordre des Gelugpa.

apr. 1432 : Au Cambodge, le temple vishnuïte d'Angkor Vat, fondé au XIIᵉ s., devient un centre bouddhique éminent.

BIBLIOGRAPHIE

Ouvrages généraux

• Berval, R. de : «Présence du Bouddhisme», numéro spécial de *France-Asie*, n° 153-157, Saigon, 1959. Nouvelle édition, Gallimard, 1987.

• Conze, E. : *Le Bouddhisme dans son essence et son développement*, Payot, 1952.

• David-Neel, A. : *Le Bouddhisme*, Paris, 1959.

• Taranatha : *History of Buddhism in India*, D. Chattopathyaya, Simla, 1970, réed. 1980.

• Renou, L. et Filliozat J., *L'Inde classique*, t. II, Paris-Hanoï, 1953, avec la collaboration de P. Demiéville et M. Lalou.

La vie du Bouddha

• Bacot, J. : *Le Bouddha*, Paris, 1947.

• Bareau, A. : *Recherches sur la biographie du Bouddha dans les Sûtrapitaka et les Vinayapitaka anciens*, 3 vol. Paris, 1963, 1970, 1971.

• Foucher, A. : *La Vie du Bouddha d'après les textes et les monuments de l'Inde*, Paris, 1949. Réed. J. Maisonneuve, 1987.

• Naudou, J. : *Le Bouddha*, Paris, 1973.

• Thomas, E.-J. : *The Life of Buddha as Legend and History*, London, 1927.

La doctrine du Bouddha

• Dritt, N. : *Aspects of Mhâyâna Buddhism and its relation to Hînayâna*, London, 1930.

• La Vallée Poussin, L. de : *Bouddhisme, étude et matériaux*, London, 1898.

• La Vallée Poussin, L. de : *Le Dogme et la philosophie du bouddhisme*, Paris, 1930.

• Rahula, W. : *L'Enseignement du Bouddha, étude suivie d'un choix de textes*, Paris, 1961.

Traductions des textes canoniques anciens

Il n'existe presque pas de traductions françaises des textes canoniques anciens qui constituent nos sources les plus directes pour connaître le Bouddha et son œuvre. En revanche, presque tout le canon pâli a été traduit en anglais, notamment par les soins de la Pâli Text Society et en allemand par divers orientalistes.

• Bareau, A. : *Les Premiers Conciles bouddhiques*, Musée Guimet, Bibliothèque d'études, LX, 1955.

• Burnouf, E. : *Le Lotus de la Bonne Loi*, Paris, 1852. Rééd. A. Maisonneuve, 1973.

• *Choix de Jâtaka*, traduction par G. Terral, Gallimard, Paris, 1958.

• *L'Art bouddhique*, Coll. Unesco d'œuvres

représentatives, Olozane, Unesco, 1990.
• *Le Lalitavistara*, E. Faucaux, Annales du Musée Guimet, XI-XIX, 1889-1892. Réed. Les Deux Océans, Paris, 1988.

Bouddhismes indien et tibétain
• Bareau, A. : «Le Bouddhisme indien» in *Les Religions de l'Inde*, t. III : Bouddhisme, Jaïnisme, Religions archaïques, Paris, Payot, 1966.
• Bareau, A. : *Les Sectes bouddhiques du Petit Véhicule*, Paris, publications de l'EFEO, 1955.
• Dasgupta, S. : *An Introduction to Tantric*

Buddhism, Calcutta, 1958.
• Houang, F. : *Le Bouddhisme, de l'Inde à la Chine*, Paris, Fayard, 1963.

Bouddhismes chinois et japonais
• Chang Chen-Chi, *Pratique du Zen*, traduit de l'américain par N. Weinstein, Paris, 1960.
• Fujushima, R. : *Le Bouddhisme japonais. Doctrines et histoire des douze grandes sectes bouddhiques du Japon*, Paris, 1889.
• Shibata, M. : *Les Maîtres du Zen au Japon*, Paris, Maisonneuve et Larose, 1969.

TABLE DES ILLUSTRATIONS

INDEX

CRÉDITS PHOTOGRAPHIQUES

Martine Aepli 167. Artephot 41h. Artephot/Babey 26, 33, 78/79h, 78/79b. Artephot/Lavaud 32b. Artephot/Mandel 46, 142. Artephot/Nimatallah 28, 36/37, 87, 92, 97b, 100. Artephot/Percheron 144. Artephot/Roland 39h, 125d, 131. J. Boisselier 95d. British Library, Londres 24, 25g, 51b, 113, 116d, 118h, 118b, 136, 154. British Museum, Londres 47, 74, 75b, 80, 118m. D.R. 1er plat, 1/9, 44, 50, 52, 55h, 55b, 56b, 57, 71, 81h, 84g, 85, 86/87, 90, 102, 103, 115b, 116g, 151, 153, 158, 164, 168, 171. Dagli-Orti, Paris 138. Edimedia 78g, 110b, 117h. Explorer/A. Thomas 124. Explorer/Geopress 69, 106/107, 123b. Explorer/Jean-Louis Nou 83h, 88. Explorer/Jean-Paul Nacivet 36. Explorer/Krafft 27. Explorer/Ph. Roy 128. Explorer/Tovy Adina 123h, 126/127. Explorer/Weisbecker 122h. Fondation Alexandra David-Neel, Digne 177 M. G. 84d, 95g, 109b, 119. Giraudon 49h, 72, 120d. Giraudon/Bonora 16h, 77. Giraudon/CBO 14, 15h, 15b, 76, 149. Giraudon/Invernizzi dos, 30h, 51, 53, 58, 59, 70b, 93, 94, 148. Giraudon/Lauros 19h. Marcel Giuglaris 161. Hanz Hinz, Bâle 12, 22/23, 34, 34/35, 89, 102/103, 104h, 104b, 105, 114, 115h, 150. Magnum/Bruno Barbey 165. Magnum/Martine Franck 178. Magnum/Raghu Rai 162, 169. Magnum/René Burri 129. Magnum/René Burri 166. Jean-Louis Nou 2e plat, 11, 29d, 39b, 45b, 56h, 61h, 61b, 68h, 68b, 69, 70h, 82, 86, 98, 99, 106, 109h, 110/111, 112, 117b, 121h, 121b, 137, 146/147. Ministère de l'information, gouvernement de l'Inde 130. Rapho/Michaud 13, 14/15, 16b, 17, 19b, 20h, 20b, 21, 38/39, 41b, 54, 72/73, 97h, 120g, 122b, 134/135. Réunion des Musées nationaux, Paris 18g, 18d, 25, 29g, 30/31, 42/43, 45h, 48, 49b, 58/59, 83b, 91, 96, 101, 108, 125g, 127, 138/139. Roger-Viollet, Paris 157. Sipa Press/EFE 179. Sipa Press/Guadrini 172. Sipa Press/Trippett 174, 175.

REMERCIEMENTS

L'auteur et les éditions Gallimard remercient Madeleine Giteau, Madame Jean-Louis Nou et Nathalie Hay pour l'aide qu'ils leur ont apportée dans la réalisation de cet ouvrage.

COLLABORATEURS EXTÉRIEURS

Vincent Lever a réalisé la maquette du corpus de ce livre; Dominique Guillaumin, celle des Témoignages et Documents. Any-Claude Médioni a assuré la recherche iconographique. Odile Zimmermann a collaboré au suivi rédactionnel.

192

Table des matières